KU-718-829

Dominique Lapierre

India mon amour

Biblioteca Dominique Lapierre

Dominique Lapierre

India mon amour

Traducción de Josep Maria Pinto

Planeta

Título original: *Inde ma bien-aimée*

Diagonal, 662-664, 08034 Barcelona (España)
www.editorial.planeta.es
www.planetadelibros.com

Primera edición: marzo de 2012
Depósito legal: B. 3.131-2012
ISBN 978-84-08-00406-6
ISBN 978-88-428-1681-2, Il Saggiatore (Italia), Milán, edición original
Composición: Anglofort, S. A.
Impresión y encuadernación: Liberdúplex, S. L.
Printed in Spain - Impreso en España

El papel utilizado para la impresión de este libro es cien por cien libre de cloro y está calificado como **papel ecológico**

A James, Gaston, François,
Gopa, Kamruddin, Papu, Sabitri, Sukeshi, Wohab,
y a todos los seres luminosos del mundo
que he tenido el honor de que me acompañen
en los campos de batalla contra la pobreza en la
India y que tanto me han dado

Nota a mis amigos lectores

India mon amour relata, en texto y en imágenes, mi prodigiosa historia de amor con la India. Evocados en un libro anterior, titulado *Mil soles*, los episodios que narran mi cruzada humanitaria para ayudar a los menos favorecidos se desarrollan aquí en detalle y pretenden ser un homenaje al coraje, al amor y a la esperanza de todos los héroes a quienes dedico este libro, así como a todos aquellos que me acompañan en este compromiso de solidaridad para hacer que este mundo sea un poco más justo.

DOMINIQUE LAPIERRE

Todo lo que no se da, se pierde

Proverbio indio

Prólogo

Fue en la campiña de Bengala.

Una niña caminaba cansinamente sobre el estrecho dique que separaba dos arrozales. Llevaba una bolsa llena de libros y cuadernos. Volvía de la escuela y seguramente no había comido nada desde el amanecer. Me dirigió una bonita sonrisa y me saludó con la mano.

Hurgué en mis bolsillos con la esperanza de encontrar algo que poderle dar. Sólo encontré una galleta y se la di. Me lo agradeció como si le hubiera puesto la Luna en la mano, y luego retomó su camino.

La seguí con la mirada.

Unos minutos más tarde sus pasos se cruzaron con los de un perro esquelético. Vi que la niña partía en dos la galleta y le daba la mitad al animal.

La India me acababa de dar la lección más bella de todas acerca de lo que significa compartir.

DOMINIQUE LAPIERRE

Primera parte

Tras las huellas del mayor imperio de todos los tiempos

Acababan de servir el postre, una magnífica tarta Tatin. De repente, mi huésped se quitó las gruesas gafas de concha y me escrutó con sus ojitos miopes.

–Y ahora, Dominique, ¿qué tema histórico elegirá para su próximo libro con su amigo Larry Collins?

Aquel hombre de voz cálida había sido mi maestro y modelo durante mis catorce años de reportero en la revista *Paris Match*. Los artículos y reportajes de Raymond Cartier narraban cada semana los acontecimientos del mundo con un brío y una riqueza de información que apasionaban a millones de lectores. Había aplaudido el éxito de *¿Arde París?* y había aprobado mi decisión de alejarme de *Paris Match* para intentar una aventura literaria e histórica como las que a él mismo le gustaba vivir cuando hacía sus grandes reportajes de actualidad.

Después de relatar la guerra civil española en *O llevarás luto por mí*, yo acababa de publicar con Collins *Oh, Jerusalén*. Nuestras largas indagaciones acerca del nacimiento del Estado de Israel y varios meses de difícil escritura nos habían dejado K.O.

–Ya sabe, Raymond, hay pocos temas a los que uno desee consagrar cuatro años de su vida –le dije–. ¿Nos puede sugerir alguna idea?

Cartier frunció el ceño y se me acercó, como si quisiera hacerme una confidencia.

–Querido Dominique, cuando yo tenía su edad, un día fui a un pueblo del norte de la India para entrevistar a un hombrecillo que apenas iba vestido, y que había subyugado a uno de los imperios más poderosos de todos los tiempos. Se llamaba Mohandas Gandhi. ¿Por qué no escriben, usted y Larry Collins, un retrato de la India siguiendo el hilo de su vida? La India representaba en aquella época una quinta parte de la humanidad. El 15 de agosto de 1947, cuando se proclamó su independencia, fue ciertamente uno de los días más importantes de la historia del mundo. De eso hace ya veinticinco años. Gandhi está muerto, pero muchos actores de aquella formidable página de la historia aún deben de seguir con vida. Seguramente los podría encontrar. Dominique, si yo tuviera su edad, ¡esta misma noche cogería un avión a la India!

Querido Raymond, nunca pude agradecerle como habría deseado esta maravillosa sugerencia, porque por desgracia nos dejó poco tiempo después de aquella velada. Sepa usted que me impulsó por los caminos de una prodigiosa historia de amor con un país. Un país al que un tiempo después llamé *Mi querida India*.

¡La India! Un país continente, un inmenso mosaico de pueblos, de razas, de castas, de religiones, de culturas. Un país de mil doscientos millones de habitantes que viven en seiscientas cincuenta mil poblaciones, donde se hablan más de setecientas cincuenta lenguas. Donde se adora a veinte millones de divinidades. ¡La India! La promesa de un perpetuo asombro, de un maravillarse a cada momento, de un auténtico sinfín de espectáculos en los que lo sublime a veces se mezcla con lo atroz, pero donde voy a descubrir que la belleza se impone siempre y en todo lugar. Un país que a menudo me sublevará, pero que jamás dejará de hechizarme, de trastornarme, de revelarme nuevos tesoros, de colmarme con nuevas alegrías. Un país que demandaría diez vidas para penetrar en todos sus misterios.

La aventura india a la que me impulsó entonces la invitación de mi viejo maestro de *Paris Match* durará toda mi vida. Pero comenzó en Londres, de una manera un tanto rocambolesca. Una mañana de un mes de octubre corro hacia la estación Victoria para coger un tren que me llevará al sur de Inglaterra, donde tengo que entrevistar a lord Mountbatten, el último virrey británico de la India. De repente, mis pasos se detienen en Conduit Street, ante el escaparate del concesionario de automóviles Rolls-Royce. El cupé 8 cilindros Corniche verde pálido que exponen es, sin duda, uno de los coches más caros del mundo, cuarenta mil libras esterlinas, el precio de una decena de Alfa Romeos. Pero la belleza de ese coche me sumerge en un auténtico éxtasis. Me quedo largo rato como hipnotizado por la calandra de rejilla cromada que recuerda el frontón de un templo griego.

Una curiosidad irrefrenable me impulsa entonces al interior de la tienda. Del mismo modo que podemos tener ganas de rozar la superficie biselada de una piedra preciosa o de acariciar el hombro desnudo de una mujer hermosa, siento el deseo de pasear mis manos por la carrocería de aquella joya. Espero a que el vendedor esté conversando con un visitante para acariciar las alas de la estatuilla que se yergue en la proa del capó. Doy varias vueltas al coche, antes de atreverme a sentarme en su interior. ¡Qué emoción cuando se cierra la puerta y me encuentro solo, casi acostado, asombrado por el lujo del habitáculo tapizado de cuero y maderas preciosas! Cierro la palma de la mano sobre la bola de madera de olmo de la palanca de cambios, toqueteo los mandos del aire acondicionado automático, los de la radio con ocho altavoces, el del regulador de velocidad. Muevo las dos tablillas de marquetería empotradas en los respaldos de los asientos delanteros para comodidad de los pasajeros instalados detrás. Ajusto el sillón eléctrico en todas las posiciones imaginables. Bien aposentado en mi acogedor asiento, respirando profundamente el embriagador olor a cuero, contemplo a través del parabrisas el largo y esbelto capó, en cuyo extremo se proyecta la graciosa figurita. Me dejo llevar por la ensoñación y oigo el silencio del motor, un silencio tan perfecto que, según se dice, el único ruido que se oye a bordo de un Rolls-Royce es el tictac del reloj.

Y entonces me asalta una idea alocada. ¿Y si me llevo esta maravilla a la India para que descubramos juntos los secretos de ese país continente donde me espera un trabajo de investigación tan enorme? Después de todo, los Rolls-Royce eran los coches preferidos de los marajás. ¡Qué gozada, llevarme una de sus últimas encarnaciones por las carreteras de la India! Una locura, sin duda. Pero, por extraordinario que parezca, su precio se corresponde exactamente con el adelanto que he recibido del editor británico que publicará nuestro gran fresco indio.

Antes de que mis pies abandonen las alfombrillas, mullidas como edredones, para anunciar al vendedor de la tienda que deseo comprar el Corniche que exponen, tengo la precaución de ajustarme la corbata en uno de los cuatro espejos de cortesía y de sacudir el polvo de mi blazer. Aunque no lleve un bombín ni un paraguas para reforzar mi credibilidad, no tengo dudas de que la presentación de mi talonario de cheques me permitirá adquirir esta joya.

El vendedor me mira de arriba abajo con condescendencia antes de dirigirme un glacial «*Good afternoon, sir, what may I do for you?*» (Buenas tardes, señor, ¿qué puedo hacer por usted?). Es un hombre delgado de unos cincuenta años, de tez rosada. Lleva camisa blanca de cuello duro, chaleco negro bajo una chaqueta también negra, y pantalón gris de rayas. Recuerda más al mayordomo de alguna mansión que a un vendedor de coches. Bien es verdad que los coches que vende no son los que compra el común de los mortales. La austeridad de su vestimenta subraya la diferencia. Con aire despreocupado, señalo el objeto de mis deseos.

–Desearía comprar ese automóvil –le digo, adoptando mi acento más *british*.

El vendedor suelta un «jo, jo» de estupor. La nuez del cuello le baila arriba y abajo.

–¿Desea comprar ese coche? –se sorprende, marcando fuertemente cada sílaba, como si intentara convencerse de que ha oído bien.

–Exactamente –le contesto.

Y vuelve a emitir varios «¡jo, jo!» de asombro. Parece evidente que es la primera vez en su vida que una persona de apariencia tan joven, y sin bombín ni paraguas ni cuello duro, le dice que desea comprar uno de sus coches. Se frota el mentón varias veces y luego me dirige una pregunta que, en ese momento, me parece absurda.

–Sir, ¿a qué país ha previsto usted llevarse ese coche?

Sin duda ha notado una entonación extranjera en mi pulcro inglés.

–¡A la India!

El vendedor pone unos ojos como platos. Si le hubiera contestado: «A la Luna», no se habría sorprendido tanto.

–¿La India? –me contesta, pasmado.

Se produce entonces un silencio incómodo. Baja la cabeza como si lo hubiera golpeado. Lo he desconcertado. Nunca se ha enfrentado con un cliente como yo. Suelen comprarle estos coches para ir y venir entre Londres y algún castillo de Yorkshire o de las Highlands. Y hete aquí que un chiflado le dice que se quiere llevar uno de sus coches a la India...

–¿Ha dicho la India?

En su voz hay un temblor en el que creo discernir una brizna de nostalgia. Se lo confirmo con un asentimiento. Y él mueve la cabeza repetidamente.

–En este caso, sir, debo consultar con el encargado de exportaciones. Es el único que puede asumir la responsabilidad de acceder a su petición.

Tras pronunciar estas palabras, se va hacia un despacho vecino. Unos segundos después, le oigo explicar al teléfono: «Hay un *gentleman* en la tienda que desea comprar un Corniche para llevárselo a... –se atraganta y continúa–, a la India... Creo, sir, que esta petición justificaría su intervención.»

Unos minutos más tarde veo llegar a un hombrecillo entrado en carnes, con un bigotito estilo Charlot, vestido también de negro. Una cadena de oro brilla en el bolsillo de su chaleco. Me saluda con una pizca de desdén.

–Según me han informado, usted ha expresado el deseo de comprar uno de nuestros coches para llevárselo a... –Como el vendedor, tropieza ante el nombre de la India, como si la asociación de un Rolls-Royce con ese país fuera decididamente la idea más disparatada posible–. El problema, sir, es que no tenemos representación en la India –prosigue–. Si tuviera usted algún problema mecánico, por insignificante que fuera, tendría que enviar el coche hasta... –Me hace signos para que le siga hasta una habitación donde, colgado en una pared, hay un mapamundi lleno de puntos rojos que señalan las agencias de Rolls-Royce. Duda y busca el punto rojo más cercano al subcontinente indio–. Sir, tendría que enviar el coche hasta Kuwait.

A simple vista, mirando el mapa, Kuwait debe de estar al menos a tres mil kilómetros de Nueva Delhi.

–Yo pensaba que un Rolls-Royce no se averiaba nunca –digo, sorprendido.

–Ciertamente, pero siempre puede suceder una desgracia –replica el hombrecillo bajando los ojos–. Y además, también están las operaciones de mantenimiento.

–¿Quiere usted decir el cambio de aceite?

–El cambio de aceite, los niveles, la presión de los neumáticos, en resumen, todo tipo de pequeños controles y ajustes.

Me está costando mantener la paciencia.

–Me parece que cualquier garaje indio debería ser capaz de cambiar el aceite y de llevar a cabo esas pequeñas operaciones rutinarias. Y respecto a la presión de los neumáticos, el aire de Nueva Delhi debe de ser tan adecuado para las ruedas de un Rolls-Royce como el de Londres. ¿O no?

Ante esta última observación, las caras de mis dos interlocutores se hielan. Tanta impertinencia tratándose de un Rolls-Royce es indigna de un candidato a comprar un coche semejante. Todo esto lo estoy viendo en su mirada de reprobación. El responsable de exportaciones encuentra una salida.

–Sir –me anuncia–, voy a consultar con el jefe de nuestro servicio posventa. Es el único que puede decirnos si es razonable introducir uno de nuestros coches en aquella parte del mundo. ¿Podría usted tener la amabilidad de volver a pasar mañana antes del mediodía?

Les cuento que tengo que ir a ver ese mismo día a lord Mountbatten para una entrevista relacionada con mi próximo libro.

–Así que me gustaría escuchar, ahora mismo, la opinión del responsable de su servicio posventa –digo con firmeza.

Ni el nombre del último virrey de la India, ni la referencia a mi condición de escritor han tenido el más mínimo efecto en el hombrecillo gordito y su acólito de cuello duro. La compañía Rolls-Royce sólo rinde cuentas a Dios. Pese a ello, el responsable de exportaciones se presta a llamar a su colega del servicio posventa. Veo que llega un tercer individuo igualmente vestido de negro. Visiblemente, le ha molestado que lo apartaran de sus ocupaciones, parece de bastante mal humor. El hombre del bigote le resume la situación. Tal como esperaba, pone mala cara ante la palabra «India», hasta el punto de que sus gafas, que se sujetaba en la frente, caen sobre su nariz. Los dos hombres se retiran entonces hasta el despacho contiguo y me dejan sólo en compañía del vendedor.

Media hora más tarde, ambos concluyen sus deliberaciones y se reúnen conmigo ante el objeto de mi concupiscencia.

–*We are really sorry, sir* –declara el jefe de exportaciones, con la buena conciencia de un padre que desea evitar a su hija las malas compañías–. *We cannot sell you this motorcar.* (Lo sentimos, señor, pero no le podemos vender este coche.)

Encajo el golpe con toda la dignidad de que soy capaz. Luego, lleno de rabia, me apresuro hacia la estación Victoria.

El objeto de mi encuentro con lord Mountbatten es el de preguntarle acerca de su primer viaje a la India, cuando, en 1921, en calidad de joven ayuda de campo de su primo, el príncipe de Gales, recorrió la joya de la corona imperial, jugando al polo con los marajás, cazando tigres y panteras en sus bosques, y cenando en uniforme de gala en las terrazas de sus palacios iluminados. En el curso de aquel increíble viaje, el joven Louis, con ocasión de una velada de gala en casa del virrey, conoció a la hermosa y rica Edwina, que se convertiría en su esposa. En su diario personal relató los momentos más destacados de aquel fabuloso descubrimiento del imperio de su bisabuela Victoria. Aquel hombre meticuloso y organizado había reunido sus notas y reflexiones en un volumen encuadernado en cuero rojo que accede a confiarme para que pueda reproducir los episodios más destacados. De regreso aquella noche en París, me sumerjo en aquel excitante librito. Y cuál no es mi sorpresa cuando leo, con fecha del 21 de abril de 1921, el relato de una cacería del tigre con el marajá de Mysore.

«Su Alteza ha mandado transformar en un descapotable de caza uno de sus numerosos Rolls-Royce, para que sus invitados puedan disparar a las fieras desde la plataforma más confortable que se pueda soñar –había escrito Mountbatten–. Este coche es una pura maravilla. Vadea los cursos de agua, desciende y trepa por las orillas más abruptas sin que sea necesario siquiera cambiar de velocidad, atraviesa la selva salvando los obstáculos. ¡Ah, si un representante de Rolls-Royce hubiera estado allí! ¡Qué orgulloso se habría sentido!»

Esta descripción me llena de felicidad. Demuestra que un Rolls-Royce puede superar todos los desafíos y abrirse camino donde no lo hay. ¡Menuda lección para los «sepultureros» de la tienda de Londres! Fotocopio aquella página inolvidable y la guardo religiosamente en mi cartera.

En mi siguiente viaje a la capital británica, me precipito hasta el concesionario de Rolls-Royce. «Mi» Corniche verde pálido sigue en el mismo lugar, en el escaparate.

El vendedor de cuello duro me reconoce al instante. Le ruego que llame al responsable de exportaciones. Cuando llega éste, le doy la fotocopia del fragmento del diario personal del tío de la reina de Inglaterra.

–Este texto, señor, lo ha escrito uno de sus compatriotas más ilustres –le digo, feliz por poder tomarme la revancha–. Permítame que se lo regale. Léalo. Explica sin dejar dudas por qué usted no ha considerado prudente venderme uno de sus coches. Me temo que los Rolls-Royce actuales ya no son como los de antes.

Mis contrariedades con los representantes de una marca de la que toda su vida había sido uno de sus más fervientes usuarios escandalizan a Mountbatten.

–Puesto que ya no están lo suficientemente seguros como para enviar uno de sus coches a la India, compre un modelo antiguo –me aconseja–. Un estupendo Silver Cloud, por ejemplo. Vaya a Frank Dale & Stepsons, en Sloane Square. Es el mayor vendedor de Rolls-Royce de segunda mano del mundo. Seguro que encuentra algo de su agrado.

El último virrey de la India tiene razón. En seguida encuentro en la tienda de Frank Dale el coche emblemático que deseo que comparta conmigo la apasionante aventura que me espera al recorrer de un extremo al otro la India. Es negro y gris, muy aristocrático. La sobriedad de las líneas, la distinción de su frontal, su potencia discreta, lo convierten, en mi opinión de neófito, en uno de los modelos más logrados de toda la historia de la marca. No me canso de la belleza de sus líneas, todo sobriedad, distinción, potencia viril. Además tiene el mérito de no haber costado más que cinco mil libras esterlinas, apenas el precio de un Citroën D.S. En previsión de la larga estancia india a la que lo destinaré, paso todo un día familiarizándome, en compañía de mi mujer, Dominique, con los diferentes órganos de esta joya. Dominique anota religiosamente en un cuaderno escolar las explicaciones del jefe de los mecánicos del taller. Dibuja la forma de los pernos, de los tornillos, de las piezas que tal vez deberemos reemplazar nosotros en alguna parte de un desierto perdido del Rajastán o del Decán.

Tan minuciosamente envuelto en plástico acolchado como si de la *Venus de Milo* se tratara, encerrado en una caja, mi coche abandona Marsella la víspera de Navidad. Tres meses más tarde voy a recibirlo en el puerto de Bombay. Su primera noche india tiene como decorado uno de los majestuosos garajes del Royal Bombay Yacht Club, que antaño acogían a los Silver Phantom y los Silver Ghost de los altos dignatarios del imperio. Bajo las miradas maravilladas y los aplausos de los transeúntes, de los niños, de los comerciantes ambulantes de la gran plaza vecina de la Puerta de la India, al día siguiente cojo la carretera de Nueva Delhi, donde me espera Larry Collins. Esta calurosa actitud me conforta. En París, algunos de mis amigos se habían escandalizado por el hecho de que quisiera circular con un coche tan lujoso por un país abrumado por tanta pobreza. Consciente del problema, vacilé durante un momento. Pero a la que el largo capó de mi Silver Cloud abandona el centro de Bombay, me doy cuenta de una cosa maravillosa: la India comparte mi placer. En cada parada me veo rodeado, sumergido, engullido por una multitud entusiasta. Para que me guíe hasta la capital india, que se halla a mil quinientos kilómetros de distancia, y para que me sirva de intérprete en caso de necesidad, he invitado a un joven chófer del consulado francés de Bombay. Se llama Ashok y es hindú. Pilotar el carro celeste de Arjuna no le habría hecho más feliz. Pero encontrar la salida de una megalópolis tan tentacular como Bombay requiere otros conocimientos aparte de los mitológicos. Debo recurrir a un taxi para que nos saque de la jungla de los suburbios y nos escolte hasta la carretera principal de Delhi.

Tres siglos y setenta y tres años después de que un tal William Hawkins, capitán del galeón *Hector*, desembarcara en suelo indio para iniciar la aventura colonial británica, el equipo franco-estadounidense de

Collins y Lapierre se encuentra en Nueva Delhi para investigar acerca del fin de esa epopeya. Larry se ha traído consigo a su mujer y a sus hijos. Una amiga nos ha buscado dos casas colindantes en un barrio nuevo en el extremo de Shanti Path, la majestuosa avenida que atraviesa el barrio de las embajadas. Delante de la puerta me esperan, alineados como una guardia de honor, los seis sirvientes que ha contratado para mi servicio. Me sorprende que sean tantos. Todavía ignoro que cada tarea doméstica corresponde en la India a una casta bien determinada. Mi «personal» consta de un *bearer*, es decir, un mayordomo, un cocinero, un *dhobi* encargado de la colada, un *sweeper* destinado a los quehaceres más propios de la vivienda, un *mali* para el mantenimiento del jardín y finalmente un *chowkidar* para guardar la casa. Me inquieto por el coste de una servidumbre tan numerosa. Pero me tranquilizan. La totalidad de los salarios representa por mes el equivalente de setenta euros de hoy. Mi única obligación adicional es la de procurarles el té y el azúcar. En cuanto al pago de eventuales seguros sociales, mi pregunta suscita sorpresa. La India socialista de Indira Gandhi todavía no ha hecho suya esta obligación que en Occidente ha encarecido tanto los empleos del hogar. En cambio, estoy obligado a satisfacer una formalidad indispensable: procurar los uniformes para el personal.

El *bearer* me señala en seguida a un hombre con la cabeza rapada instalado en la acera, ante una máquina de coser. Es el sastre, listo para confeccionar allí mismo unas prendas de trabajo a medida de mis criados. Este *bearer* parece una persona muy sagaz.

–*Sir, I am a Roman Catholic, and my name is Dominic* (señor, soy un católico romano, y me llamo Dominic) –me anuncia.

Me entero que esta manera de indicar de entrada la religión es una costumbre típicamente india, y que precede a cualquier otro dato identificativo. El cocinero es musulmán, lo cual es más bien una suerte si quiero escapar de los menús exclusivamente vegetarianos y casi siempre cargados de ardientes especias. Los responsables de la ropa y del jardín son hindúes, pero de castas muy bajas. El vigilante de la casa también es hindú. El encargado de las tareas domésticas, al que llaman el *sweeper*, un hombre enclenque y de piel muy oscura, es un «descastado» o, dicho de otro modo, un «intocable». Se encarga de las tareas que los indios juzgan más viles, una de ellas es limpiar los aseos.

A pesar de sus religiones y de sus diferentes «nacimientos», mis seis sirvientes conviven armoniosamente en las dos habitaciones dispuestas para el servicio en la parte trasera de la casa. Unos días más tarde tendré la sorpresa de descubrir que, de hecho, acojo en casa hasta cincuenta personas, toda una aldea. Un empleo y un alojamiento constituyen tal ganga en la India que cada uno de mis empleados ha hecho venir inmediatamente a su mujer, sus hijos, sus abuelos, tíos y primos.

Pese a que esta capital es tan cosmopolita, la llegada de dos *sahibs*, de una *mensahib* y de su progenitura, así como de un automóvil tan imponente como un Rolls-Royce, constituye un acontecimiento. Pronto descubriré que una de las particularidades de la vida en la India es la ausencia total de intimidad. Apenas tomamos posesión de nuestras residencias, los timbres de ambas puertas exteriores comienzan a sonar. La primera visita es la del lechero, acompañado por su rebaño de búfalas, que acude a ofrecernos leche «ordeñada ante nuestros ojos». A continuación aparece un domador de osos, otro de monos, luego un encantador de cobras con sus mangostas. Todos insisten en mostrar sus números a los niños de Larry, que se quedan maravillados. Le sigue un desfile ininterrumpido de vendedores de alfombras, saris, telas, objetos de madera, de piedra, de cristal, de papel maché, de mimbre, en resumen, los innumerables productos de la rica artesanía de las provincias indias. También acuden los vendedores de perros, de aves, de peces rojos. Por no hablar del limpiador de orejas, de varios peluqueros, de un mago, un astrólogo, un quiromántico, un grupo de monjes músicos y cantantes vestidos de color marrón, con la frente pintada con polvos multicolores. Para coronar esta oleada inagotable aparece un espléndido elefante, cuyo enturbantado conductor quiere llevarnos a toda costa a pasear por el barrio. El hombre mira la calandra del Rolls-Royce, que brilla deslumbrante en la puerta del garaje. No parece en absoluto impresionado por ese emblema del pasado. «*You, maharaja!*», exclama, invitándome con el gesto a que me suba a su paquidermo con su dorada plataforma, «*Maharajas only travel on elephants*». (¡Tú, marajá! ¡Los marajás sólo viajan en elefantes!)

¡Qué honor que le tomen a uno por un marajá! Considerando que comparto con esta pequeña casta de príncipes hoy casi desaparecida un mismo amor por los coches hermosos, Larry decreta que estoy naturalmente cualificado para investigar acerca de estos señores feudales que, al partir los ingleses, abandonaron su soberanía en aras de la independencia india. La investigación, al volante de mi Silver Cloud, de los herederos de los protagonistas de este haraquiri colectivo será una aventura inolvidable.

En agosto de 1947, en el momento en que la India conquistó su libertad, 565 marajás hindús y nababs musulmanes reinaban todavía como soberanos hereditarios y absolutos en una tercera parte del país, y sobre unos cien millones de habitantes. Príncipes como el *nizam* de Hyderabad y el marajá de Cachemira se hallaban a la cabeza de estados tan grandes y poblados como las grandes naciones de Europa. Esta cohorte principesca contaba con algunos de los potentados más ricos del mundo, y con monarcas con ingresos tan modestos como los de un mercader del bazar de Bombay. Aun así, los expertos calcularon que cada uno poseía como promedio 11 títulos; 5,8 mujeres, 12,6 hijos; 9,2 elefantes; 2,8 vagones privados de ferrocarril; 3,4 Rolls-Royce y un palmarés de 22,9 tigres abatidos.

Los marajás indios, más o menos ricos, formaban en cualquier caso una aristocracia fuera de lo común. Según Rudyard Kipling, «estos hombres han sido creados por la Providencia para suministrar al mundo decorados pintorescos, cazas del tigre y espectáculos grandiosos». Los relatos de sus vicios y sus virtudes, de sus extravagancias y sus prodigalidades, de sus antojos y sus excentricidades habían enriquecido el folclore de la humanidad y maravillado a un mundo sediento de exotismo y de ensueño. Antes de ser barridos por los vientos de la Historia, estos aristócratas, al menos los más afortunados, habían vivido sobre la alfombra voladora de un cuento oriental. Sus pasiones eran la caza, el polo, los palacios, las mujeres, las joyas y... los automóviles. Entre estos últimos, sus preferidos eran, naturalmente, los reyes de los coches, los Rolls-Royce.

Descubro que el marajá sij Yadavindra Singh, último príncipe titular del estado de Patiala, en el noroeste de la India, todavía ocupa con algunos sirvientes uno de los palacios con pináculos edificado por sus antepasados. Sus garajes, que en 1947 acogían una escudería de veintisiete Rolls-Royce, a cual más extravagante, hoy en día no alojan más que un modesto Ambassador de fabricación local y un antiguo De Dion-Bouton francés que lleva un nombre con un número fetiche: «Patiala 1.» En efecto, esta reliquia databa de 1898, y fue el primer coche importado a la India. Yadavindra Singh, un gigante de dos metros de altura, amante del críquet y del polo, se alineó con la causa de la nueva India al proclamarse la independencia y se convirtió en uno de sus diplomáticos más respetados.

Mientras tomo posesión de la suite que su hospitalidad me ha reservado, observo una hoja de papel colocada sobre la mesilla de noche. En ella se me invita a marcar en una casilla mi modo preferido de transporte durante mi estancia. ¿Deseo circular en calesa? ¿En automóvil? ¿En silla de porteadores? ¿A caballo? ¿O a lomos de un elefante?

Yadavindra Singh ascendió al trono del estado de Patiala a la muerte de su padre, en julio de 1938. Su coronación dio lugar a siete días y siete noches de fiestas y de celebraciones, en presencia de la mayoría de sus pares, que acudieron desde todo el país. Por su parte, el representante del Imperio británico había prendido en su turbante la piedra preciosa que consagraba la fidelidad del joven príncipe a la Corona. Cabe decir que el nuevo marajá de Patiala sucedía a uno de los personajes más pintorescos de esta «casta», ya de por sí pródiga en figuras legendarias.

Con su estatura colosal, sus ciento treinta kilos de peso, sus bigotes como los cuernos de un toro salvaje, su espléndida barba negra cuidadosamente enrollada y anudada detrás del cuello a la moda de los sijs, sus labios sensuales y la arrogancia de su mirada, el padre de Yadavindra, sir Bhupinder Singh *el Magnífico*, séptimo marajá de Patiala, parecía salido de un grabado mongol. Para el mundo de entreguerras, sir Bhupinder encarnó todo el esplendor de los marajás de la India. Su apetito era tal que cada día necesitaba unos veinte kilos de comida. Ingería alegremente dos o tres pollos a la hora del té. Adoraba el polo. Galopando a la cabeza de sus Tigres de Patiala, en todos los campos de juego del globo consiguió trofeos que llenaban las vitrinas de su palacio. Para permitir aquellas proezas, sus cuadras acogían quinientos de entre los más hermosos especímenes de la raza caballar.

Desde su primera adolescencia, Bhupinder Singh mostró las aptitudes más óptimas para el ejercicio de otro divertimento igualmente digno de un príncipe: el amor. Los cuidados que dedicaba a su harén eclipsaron incluso su pasión por la caza y el polo. Él mismo seleccionaba las nuevas adquisiciones en función de sus atractivos y sus talentos amorosos. En lo más alto de su gloria, el harén real de Patiala contó con trescientas sesenta y cinco esposas y concubinas, una para cada día del año.

Durante los veranos tórridos del Punjab, muchas de ellas se instalaban cada noche junto a la piscina; eran jóvenes bellezas de senos desnudos con las que el príncipe acudía a solazarse. Sacos de hielo que se habían hecho traer del Himalaya por cohortes de *coolies* refrescaban el agua. Los techos y las paredes de los apartamentos privados estaban decorados con escenas inspiradas en los bajorrelieves eróticos de los templos que tanto han contribuido a la celebridad de la India en la materia, un auténtico catálogo de exhibiciones amorosas capaces de agotar al espíritu más imaginativo y al cuerpo más atlético. Una ancha hamaca de seda permitía que Su Alteza buscara entre el cielo y la tierra la embriaguez de los placeres sugeridos por los retozos de los personajes del techo.

Para satisfacer sus deseos insaciables, el inventivo soberano había decidido renovar regularmente los encantos de sus mujeres. Abrió el palacio a una corte de perfumistas, joyeros, peluqueros, estilistas y modistas. Los mayores maestros de la cirugía plástica fueron invitados a que modelaran los rasgos de sus favoritas según los caprichos y los cánones de las revistas de moda, que se hacía enviar desde Londres y París. A fin de estimular sus ardores, había convertido una ala de su palacio en un laboratorio en el que se producían perfumes, lociones, cosméticos y filtros afrodisíacos.

Pero ningún hombre, aunque fuera un sij tan generosamente dotado por la naturaleza como Bhupinder Singh *el Magnífico*, podía colmar los apetitos de las trescientas sesenta y cinco bellezas que se consumían detrás de las celosías de su harén. Los alquimistas tuvieron que rivalizar en inventiva. Elaboraron sabias decocciones a base de oro, perlas, especias, plata, hierbas, hierro... Durante un tiempo, la poción más eficaz fue una mezcla de zanahorias y sesos de gorrión. Cuando el efecto de estas preparaciones comenzó a debilitarse, sir Bhupinder Singh mandó llamar a especialistas de Francia, país que consideraba experto en materia de amor. Por desgracia, el tratamiento con radio que se le recomendó tuvo un rendimiento tan efímero como las pociones mágicas. En el curso de mi investigación me enteré de que sir Bhupinder *el Magnífico* había fallecido a los cuarenta y cinco años... de agotamiento.

Después de Patiala, mis indagaciones y el apetito de mi Silver Cloud por los fastos del pasado me condujeron a Kapurthala, otro estado del Punjab, cuyo palacio es hoy una inmensa escuela secundaria del gobierno indio. El marajá, gran amigo de Francia, había decidido construir en el corazón de su principado una réplica del palacio de Versalles. La extravagante idea se le ocurrió con ocasión de su visita a la Galería de los Espejos. Admirando la imagen que le devolvía uno de esos célebres espejos, decretó sin dudar que era «una reencarnación del Rey Sol». Así pues, a su retorno al Punjab edificó, con el concurso de arquitectos franceses, un palacio, ciertamente de dimensiones más modestas que su modelo, pero cuyo diseño recuerda la joya de Luis XIV. El marajá de Kapurthala no se contentó con ofrecer esta obra arquitectónica a sus súbditos. También impuso en su corte los ritos de

Versalles, sustituyendo el agua del Ganges en las mesas de sus banquetes por grandes vinos de Borgoña o de Burdeos, y haciendo interpretar melodías de Lully a diversos conjuntos de cuerda. Según afirman, llegó a sustituir el himno nacional de su estado por *La Marsellesa*. Naturalmente, los vientos de la Historia barrieron los sueños de grandeza del marajá de Kapurthala. Pero los indios, que tradicionalmente rinden culto a su pasado, aún conservan un salón del palacio tal como estaba a la muerte del último soberano.

Consigo que un anciano criado con la barba enrollada me abra la puerta, y de repente me encuentro en una inmensa estancia atestada de un fárrago de butacas, mesas y cómodas recubiertas por fundas polvorientas que les otorgan una apariencia de fantasmas. Del techo cuelgan racimos de arañas de cristal también envueltas. Todo respira humedad, polvo, pasado. Avanzo lentamente entre los espectros de aquella época ya pretérita cuando me topo con un pequeño velador sobre el que señorea un cenicero. En el fondo del mismo leo, en grandes letras negras: «HOTEL NEGRESCO - NIZA 1937.» El hecho de ser uno de los hombres más ricos del mundo no significaba que el marajá no pudiera coleccionar recuerdos de los grandes hoteles en los que se alojaba.

La India feudal no era únicamente un catálogo de excentricidades. También tenía otro rostro que permitía hacer olvidar los excesos de algunos de sus representantes. Algunos soberanos dotaron a sus reinos de carreteras, vías férreas, escuelas, hospitales e incluso de instituciones democráticas que los convirtieron en estados modernos y liberales, lo que suscitaba la envidia de las provincias directamente administradas por los británicos. El marajá de Baroda prohibió la poligamia y combatió en favor de los intocables con tanto encarnizamiento como Gandhi. El marajá de Bikaner transformó ciertas zonas del desierto del Rajastán en un oasis de jardines, lagos artificiales y ciudades florecientes a la disposición de sus súbditos. El principado musulmán de Bhopal concedió a las mujeres una libertad sin parangón en Oriente. El estado de Mysore poseía la universidad de ciencias más prestigiosa de Asia. Heredero de uno de los mayores astrónomos de la Historia, un sabio que había traducido los principios de la geometría de Euclides al sánscrito, el marajá de Jaipur convirtió el observatorio de su capital en un centro de estudios de renombre internacional.

A lo largo de la Historia, los príncipes indios fueron los instrumentos más celosos de la dominación británica de la India. Aceptaron la soberanía del virrey respecto de sus asuntos exteriores y de su defensa, a cambio de la soberanía interior. No escamotearon ni su dinero ni su sangre en el curso de las dos guerras mundiales. Crearon, equiparon y entrenaron cuerpos expedicionarios que se distinguieron en todos los frentes bajo el estandarte de la Union Jack. El marajá de

Bikaner, general del ejército británico y miembro del gabinete de guerra, lanzó a sus camelleros al asalto de las trincheras alemanas durante la Gran Guerra. Los lanceros de Jodhpur arrebataron Haifa a los turcos el 23 de septiembre de 1917. En 1943, bajo el mando de su joven marajá, comandante en los Lifeguards, los cipayos de la ciudad rosa de Jaipur limpiaron las laderas de Montecassino y abrieron la ruta de Roma a los ejércitos aliados. En recompensa por su coraje a la cabeza de su batallón, el marajá de Bundi recibió la Military Cross en plena jungla birmana.

Los británicos testimoniaron su reconocimiento a estos fieles y pródigos vasallos cubriéndolos de una lluvia de honores y condecoraciones. Los marajás de Gwalior, Cooch Behar y Patiala recibieron el insigne privilegio de escoltar a caballo, en calidad de ayudas de campo honorarios, la carroza real de Eduardo VII durante las fiestas de su coronación. Oxford y Cambridge acordaron distinciones honoríficas a numerosos príncipes. Los pechos de los soberanos más notables se engalanaron con resplandecientes medallas de nuevas órdenes creadas para la circunstancia: la Orden de la Estrella de la India y la Orden del Imperio de la India.

La potencia soberana supo testimoniar al máximo su gratitud gracias sobre todo a la sutil gradación de una forma ingeniosa e inédita de recompensas. El número de salvas de cañón que saludaban a un monarca indio era el signo de su posición en la jerarquía principesca. El virrey tenía el poder de aumentar el número de salvas en reconocimiento por servicios excepcionales, o reducirlo como signo de castigo. Cinco soberanos –los de Hyderabad, Cachemira, Mysore, Gwalior y Baroda– tenían derecho al supremo honor de veintiuna salvas. A continuación venían los estados de diecinueve, luego de diecisiete, trece, once y nueve disparos. Para cuatrocientos veinticinco humildes rajás y nababs que reinaban en pequeños principados casi olvidados del subcontinente no había saludo alguno. Fueron los príncipes desdeñados de la India, los hombres para quienes no había salvas de honor.

Tanto si oían los cañonazos de salutación como si no, todos los marajás y nababs de la India quedaron sometidos bajo la misma enseña en aquel verano de 1947, cuando Gran Bretaña abandonó la joya de su imperio. Reconstituir en detalle este irreversible adiós a una época desaparecida constituirá uno de los esfuerzos más apasionantes de nuestra nueva aventura literaria hasta las fuentes de la Historia.

Ciertamente, los Boeing de Indian Airlines y los vagones climatizados de la mayor red ferroviaria del mundo anulan las distancias del país continente que ahora empiezo a explorar para mi investigación. Pero ningún medio de transporte rápido puede ofrecerme el rico sabor y las sorpresas del descubrimiento de la India a través de sus carreteras anárquicas, atestadas de camiones, tartanas de caballos, caravanas de camellos, carretas, carretillas e incluso elefantes. Atravesar a velocidad moderada los mil estrépitos del país escuchando, en el silencio aterciopelado del Silver Cloud, el sitar endiablado de Ravi Shankar o las calmantes cantatas de Bach... ¡menudo placer! En seis meses recorremos, mi coche y yo, más de veinte mil kilómetros. Entrevistas, búsqueda de documentos, descripciones de situaciones y de lugares históricos... El maletero del Rolls-Royce pronto se llena con los variopintos elementos de una investigación prodigiosa. Cada etapa es una ocasión única para fundirse con la India de *Las mil y una noches*. En Mysore me quedo atrapado con el coche en un río de elefantes cubiertos de oro y plata, dromedarios, caballos ricamente adornados. La fiesta dura seis días y seis noches. Cada día, al atardecer, el descendiente del último marajá que ostentó el cargo aparece sobre su trono de oro. La última noche, trono y soberano son izados sobre un elefante suntuosamente decorado para que desfile en medio de la población alborozada. Detrás del paquidermo real hay otro mastodonte. Me sorprende ver que no hay nadie en su palanquín. Me entero entonces de que el majestuoso animal transporta «las almas de los marajás difuntos».

Unos centenares de kilómetros más lejos, en la carretera de Bangalore, la capital de Karnataka, el Silver

Cloud queda súbitamente engullido por una marea humana que camina hacia una estatua monolítica de granito de veintidós metros, erigida en la cumbre de una colina. Son casi un millón los que asisten a la aspersión ritual de Bahubali, el ídolo fanáticamente venerado por los adeptos al jainismo, una de las religiones más notables de este país adorador de veinte millones de divinidades. Gracias, amada India, por darme la oportunidad de compartir ese torrente de fe y de amor que sólo se reproduce una vez cada doce años.

Bahubali, casi contemporáneo de Buda, era el hijo menor de Mahavira, un profeta del siglo VI antes de nuestra era que proponía a sus discípulos que alcanzaran la liberación adoptando los principios de la no violencia, la castidad y la pobreza. Este ideal no convirtió a grandes multitudes, pero en el curso de los siglos se ganó numerosos adeptos, en particular entre las clases dirigentes. Reyes, reinas, príncipes, ministros, generales, personas acaudaladas se convirtieron y ofrecieron su patronazgo. Construyeron templos, monasterios y hospicios que llenaron de tesoros.

La multitud que me aprisiona al volante de mi coche está compuesta por muchas familias de ricos mercaderes de Gujerat, Rajastán, Bengala, y de viudas acaudaladas, montadas en sillas que llevan porteadores, cubiertas de joyas desde las manos hasta los hombros. Pero también hay grupos de jóvenes penitentes con la cabeza rapada y monjas con sencillos velos de algodón blanco. También veo a centenares de *muni*, ascetas itinerantes «cubiertos de nada», es decir, enteramente desnudos, que recorren el país durante todo el año, durmiendo sobre tablones, comiendo tan sólo una vez al día, antes del atardecer, a fin de no infringir la prohibición más sagrada de su religión: no tragarse sin querer un insecto no visto debido a la oscuridad.

Abandono el coche para recorrer junto al río de peregrinos los dos mil cuatrocientos escalones que conducen a la colosal estatua, cuya aspersión ritual coronará trece días de fiestas y de celebraciones en torno a la colina. Esta apoteosis purificadora se ha preparado durante meses, y consagra el increíble viaje de cinco mil kilómetros a través de ciudades y pueblos emprendido por una tinaja de dos metros de altura que se irá llenando con el agua procedente de los ríos sagrados de la India. Toda esta agua, llevada sobre un carro de plata tirado por elefantes hasta el patio del santuario que aloja la estatua, se ha repartido en mil ochocientos vasitos de cobre dispuestos según un orden geométrico preciso. Porque sólo mil ochocientos privilegiados y sus allegados tendrán derecho a tomar parte en la unción, vertiendo el agua de un vaso sobre el ídolo. Las grandes familias jainíes del país se han disputado este honor, ofreciendo cada una de ellas decenas de millares de rupias a las instituciones caritativas de su religión.

La ceremonia, espléndida, grandiosa, impresionante, dura exactamente nueve horas. Comienza con largas invocaciones cantadas por trece sacerdotes.

Mientras, cuando se pronuncian sus nombres, los portadores de los vasos escalan, en una blanca e ininterrumpida hilera, el último piso del andamiaje tubular que se eleva por encima de la cabeza del ídolo. Desde lo alto, cada uno vacía entonces su recipiente sobre el cráneo de piedra. El agua chorrea a lo largo de la enorme estatua. Resuenan tañidos de clarín. Cuando el agua alcanza los pies del coloso, hombres santos enteramente desnudos se precipitan para mojarse la frente. La fase más espectacular de la ceremonia comienza entonces, con la primera de las grandes duchas rituales. Unos sacerdotes hacen oscilar treinta grandes jarras de cobre llenas de miles de litros de leche sobre la cabeza, el cuello y los hombros de la divinidad. Una ola triunfal de aplausos y de hurras saluda el derramamiento de este néctar. Pero ya se abate sobre Bahubali un segundo diluvio, compuesto en este caso por jugo de caña, granos de arroz y leche de coco, que colorea con un ligero gris al coloso de piedra. Mientras estallan nuevos clamores, una tercera catarata, constituida esta vez por una mezcla de polvo de azafrán y sándalo, se abate sobre el gigante para colorearlo con una resplandeciente tonalidad ambarina. En el crescendo del ceremonial, los fieles se precipitan hasta los pies de la estatua para recibir su parte de la unción multicolor. Otros mojan sus paños y sus velos en los regueros, y a continuación los retuercen para que fluya el líquido sagrado en frascos que se llevarán a sus casas. No hay duda de que para la mayoría la experiencia es un encuentro místico con el más allá. Para algunos, tal vez se trate simplemente de una formidable terapia espiritual.

Percibo a los pies de la estatua un grupo de muchachas. Sus saris lucen el colorido abigarrado de las sucesivas duchas. Con los brazos en cruz, la cabeza hacia atrás y la boca abierta como para beber las últimas gotas del santo maná, están en éxtasis. Otras, tendidas boca abajo sobre los dedos de los pies del dios, gimen de felicidad.

Vuelvo a subirme al coche en un estado de estupefacción. Asombrado, sorprendido, maravillado por tantas imágenes prodigiosas, me pregunto qué podrá ofrecer todavía esta India eterna a mi insaciable curiosidad. No tardaré en descubrirlo. Aquella misma noche de fiesta, pocos kilómetros después de salir del santuario, me topo de repente con un letrero con flecha a la entrada de una carreterita que parte hacia la derecha, en medio de los arrozales. Temiendo que me esté asaltando una alucinación, detengo el coche para estar bien seguro de que he entendido lo que anuncia el letrero. Sí, Dominique, ¡en el letrero se puede leer: «INDIAN SPACE CENTRE 6 MILES.» A diez kilómetros del ídolo Bahubali y de sus multitudes extasiadas, los sabios de la India del mañana envían cohetes y satélites al espacio.

¡Desdichado Silver Cloud! Me doy cuenta de la prueba salvaje a la que te estoy condenando al arrojarte a las carreteras miserables de la India. Cada kilómetro es una auténtica epopeya, un recorrido lleno de imprevistos. En tramos interminables, la calzada es de vía única. Cada vez que me cruzo con un vehículo que viene de cara la situación se convierte en un duelo a muerte, una partida de ruleta rusa. Los camiones sobrecargados se niegan sistemáticamente a apartarse, lo cual me obliga a lanzar las dos toneladas de mi coche a la cuneta a fin de evitar un choque frontal. Una maniobra extrema con la que cada vez me arriesgo a estropear los neumáticos o a precipitarme a un terraplén. Cuando ven mi interminable capó, algunos conductores se creen víctimas de un espejismo. Presos de un brusco acceso de locura, dejan el volante, aplauden, desencadenan el huracán de sus cláxones. Asisto entonces a escenas terroríficas de camiones que penetran unos en otros a toda velocidad o de coches que dan varias vueltas de campana después de haberme adelantado imprudentemente.

La salud de mi coche termina resintiéndose con tantas agresiones. Un día, un imperceptible ruidito comienza a turbar el runrún habitualmente inaudible del motor. El calor abrasador, la mala calidad de la gasolina, la ausencia de un mantenimiento regular... ¿Acaso van a tener razón los tres «sepultureros» de Londres? ¿Voy a tener que transportar mi Rolls-Royce hasta Kuwait como preveía el jefe del servicio posventa de la marca? Entonces me entero de que hay otro Rolls-Royce circulando por la India. Su propietario no es otro que el embajador de Su Graciosa Majestad. Corro a llamarlo por teléfono.

–*My dear friend*, mi Silver Shadow lo mantienen y reparan en un garaje de Connaught Circus que siempre me ha dejado satisfecho –me tranquiliza en seguida–. Le aconsejo que les lleve su Silver Cloud.

Muy excitado, pregunto el nombre de ese garaje. La respuesta me deja patidifuso.

–The British Garage.

¡Dichosa Albión! Veinticinco años después de que la perla de tu imperio haya roto todo vínculo contigo, el mejor garaje de Nueva Delhi se sigue llamando «The British Garage».

Vestido con una corbata a rayas y un blazer como el bueno de Frank Dale, de Sloane Square, el director indio del British Garage es un coronel retirado del ejército indio. Escucha mis explicaciones con una atención religiosa. Insisto en el hecho de que mi coche funciona a la perfección: el ruidito en cuestión no es más que una molestia subjetiva y pasajera, y no el índice de un mal más profundo.

–Vamos a verificarlo –me dice, con la seriedad de un médico en presencia de un paciente.

Todos los empleados del garaje se han precipitado en torno al coche para intercambiar apasionados comentarios. En el British Garage, más que en cualquier otro sitio, la aparición de un automóvil tan bello es una fiesta. El director me ruega que abra el capó y que ponga el motor en marcha. Escucha religiosamente el ralentí y luego me indica por señas que pulse el acelerador. Instantes después, el insidioso ruidito se empieza a percibir. De todos modos, se precisa de un oído entrenado para detectar ese repiqueteo ínfimo. El director se levanta y da una palmada. Tras esa llamada, aparece un venerable sij con barba gris, coronado por un turbante rojo escarlata. Es el jefe de los mecánicos.

Me quedo tranquilo: los sijs son los taxistas, los camioneros, los pilotos de la India. El gurú Nanak, el santo fundador de su comunidad, les insufló el genio de la mecánica. El anciano ausculta el aliento del Rolls-Royce. Asisto entonces a un extraordinario ritual como sólo la India de las castas puede engendrar. Una vez terminado su examen, el viejo sij pega a su vez una palmada. Ante esta señal, un joven mecánico de nacimiento «inferior», originario del sur, como indica su piel, muy negra, trae sobre una bandeja un destornillador, unas tenazas y una llave inglesa. El sij coge delicadamente el destornillador y sumerge su turbante de color rojo en el motor. Observo febrilmente el resultado de esta inmersión. Entonces se entabla una larga discusión con palabras aterciopeladas entre el director y el jefe de los mecánicos. Hablan en punjabí. Por la gravedad de sus rostros comprendo que el diagnóstico no es muy optimista. Finalmente, el director se vuelve hacia mí:

–Sir, nos gustaría que nos dejara el coche para que pudiéramos someterlo a un examen exhaustivo –me anuncia.

–¿Un examen exhaustivo? –repito, presa del pánico.

Es lo que más temía. ¿Puede ser que acabe encontrándome con un coche inválido para siempre, cuando en realidad sólo sufre una indisposición pasajera?

–¿Cuánto tiempo desearían tener para ese examen? –le digo, ya en el colmo de mi inquietud.

–Bueno... digamos... una semanita –contesta el director tras consultar con el jefe de los mecánicos.

Así que tendré que vivir los ocho días más angustiosos de mi vida. Para exorcizar la imagen de mi Silver Cloud desmontado en un taller mecánico, decido sumergirme en Cachemira. Pero ni el embrujo de mis paseos en barca por el lago Dal de Srinagar, ni el embriagador descubrimiento de los jardines de Shalimar, ni el de los tesoros de la artesanía local, pueden distraer mi mente del British Garage. Al octavo día, con el corazón en un puño, vuelvo a encontrarme con mi coche. Me parece más hermoso y deslumbrante que cuando lo había dejado. La ventanilla del conductor está bajada, y la llave de contacto está en su sitio, junto al volante. Sin perder tiempo me instalo en mi asiento, alargo la mano para poner el motor en marcha. Ni la sombra de un estremecimiento bajo el capó. Repito la operación. En balde. Mi Rolls sigue inanimado. Loco de angustia, corro hasta el despacho del director.

–¿Qué le han hecho a mi coche? –grito, enloquecido.

Sin contestar, el hombre se ajusta la corbata y se levanta. Al llegar ante el coche, me ruega que abra el capó.

–¡Oh! –exclamo, estupefacto.

El motor que creía ya muerto está rodando perfectamente, pero en un silencio tan absoluto que ni se oye. En cuanto al repiqueteo, un golpe de acelerador me confirma que ha desaparecido bajo los dedos mágicos del sij del turbante de color escarlata. Entonces me entero de que el anciano indio había sido el mecánico de los Rolls-Royce del último virrey del Imperio británico de la India.

Como agradecimiento a los dioses que han sanado mi coche, mi amada India me ofrece la posibilidad de descubrir uno de los espectáculos más conmovedores de su fanático apego a sus mitos y sus tradiciones. Aquí estoy, pues, en la santísima ciudad de Benarés, adonde vienen a morir tantos indios para escapar a la fatalidad de una reencarnación terrenal. Porque, a los pies de esta ciudad santuario, fluye el Ganges, el gran canal fúnebre que tiene el poder de ofrecer a sus adoradores la entrada definitiva en la eternidad.

Todavía es de noche cuando corro a mezclarme con la marea de peregrinos que desciende hacia el río entre una doble hilera de leprosos y de mendigos. Muchos de los que me rodean han caminado a través de todo el país durante semanas o meses para venir a purificar su cuerpo y elevar su alma sumergiéndose en el agua redentora. Cada uno lleva entre las manos un trozo de hoja de plátano sobre el que arde una pequeña mecha que se hunde en una escudilla menuda llena de alcanfor o de mantequilla clarificada. Esta lamparita, símbolo de la luz que expulsa las tinieblas de la ignorancia, se deposita sobre el agua. Pronto hay miríadas de lucecitas iluminando las orillas del río, mientras los miles de fieles juntan las palmas de sus manos en signo de recogimiento. Con la mirada hacia la orilla opuesta, desierta, las mujeres, con la silueta de sus cuerpos evidenciada por el velo empapado de sus saris, diseminan guirnaldas de flores. Hay grupos que se sumergen por completo durante largos segundos, se enjabonan, se sacuden el agua de la cabeza, se enjuagan la boca. En la orilla, unos ancianos, sentados en la posición del loto, con los ojos cerrados, parecen absortos en su meditación mientras, en los escalones más altos, van y vienen las vacas, los asnos, las cabras... Jóvenes becerros ofrecen el espectáculo de un combate improvisado, enfrentándose con sus cuernos para mayor gozo de los niños. Hombres santos salmodian algún mantra ritual en un tono gutural. En las terrazas, brahmanes de voluminoso vientre, instalados bajo parasoles hechos con hojas administran su bendición o recitan para un círculo de devotos unos versículos de las escrituras védicas. Todos esperan la renovación del milagro cotidiano, la aparición del disco de fuego que surgirá en la otra orilla, el sol, origen de todas las manifestaciones de la vida. En el momento en que su aureola se atisba en el horizonte, las cabezas se orientan hacia él en una explosión de fervor. Luego, para agradecer este milagro, los fieles le hacen ofrenda del agua del Ganges –que disuelve todas las formas– y dejan que fluya lentamente desde sus palmas entreabiertas en un gesto de adoración.

Unos instantes después, voy a saludar, ante la puerta del Templo de Oro, el santuario de piedra más venerado de Benarés, al *pandit* Brawani Shankar, una de las autoridades más santas de la ciudad. Como cada mañana, este hombre de Dios llevará a cabo uno de los ritos más antiguos de la religión hindú. Con un vaso de cobre lleno de agua del Ganges y una copa de sándalo en las manos, atraviesa el recinto del templo para detenerse ante una gran piedra de granito. Esta roca redondeada es la reliquia más preciada de Benarés. Al sustraerla al pillaje de las hordas fanáticas del conquistador musulmán Aurangzeb, los antepasados del hombre santo conquistaron el derecho a ser sus guardianes hereditarios. Prosternándose ante ella antes de inundarla con el agua sagrada y untarla con la pasta de sándalo, el *pandit* Brawani Shankar expresa una de las formas más antiguas del fervor brahmánico. Este trozo de roca es un *lingam*, es decir, un emblema fálico de piedra que simboliza la potencia vital del dios Shiva, el atributo de la fuerza y del poder regenerador de la naturaleza. Benarés es un centro de este culto. Los *lingams* se erigen en casi todos los templos, en el fondo de nichos abiertos en las fachadas de las casas, en las escaleras, donde velan como centinelas sobre sus altares votivos, evocando los dos principios de los que brota la vida. En el instante en que aparece el sol, miles de fieles han imitado al viejo sacerdote en su templo, untando con amor la superficie pulida de los *lingams* con pasta de sándalo, leche, agua del Ganges, mantequilla clarificada, trenzando coronas de jazmín y de claveles, y ofreciéndoles pétalos de rosas y de las hojas amargas de *bilva*, el árbol preferido del dios Shiva.

Las luces del alba colorean ahora la ciudad con una tonalidad rosa. Los peregrinos suben desde el río, con un pequeño cántaro lleno del agua santa, que se llevarán hasta su lejana aldea. En ese instante me sumerjo en el bullicio de los transeúntes y de los comerciantes que atestan una de las callejas que conducen a otro lugar sagrado a orillas del río, el *ghat* de Manikarnika.

Es uno de los lugares más alucinantes de Benarés, la explanada donde se quema a los muertos. Numerosos cadáveres terminan de consumirse sobre pilas de madera de sándalo. Los encargados de las cremaciones, intocables de la bajísima casta de los *dom*, aportan hatillos de madera y largos troncos para preparar nuevas hogueras. Bajo la galería del templete que domina la orilla fúnebre, voy al encuentro del propietario de la leña de las hogueras. Se llama Ranjit Chowdhury. Es el gran maestro de ceremonias de la cremación de los cadáveres, aquel que, en razón de su casta, es el ejecutor de las pompas que preparan a los hindúes para la inmortalidad. Es un hombrecillo de unos cincuenta años, de aire triste y cabellos que relucen de aceite de mostaza. Generaciones y generaciones de Chowdhury se han sentado antes que él sobre el almohadón de seda bordado con hilos de oro que le sirve de trono. Ante él se levanta el símbolo de su rango y de su poder, el pequeño altar en forma de pila donde arden las brasas del fuego del sacrificio de las que es guardián y que sirven para encender las hogueras.

No dejan de llegar camillas hechas de bambú, con cuerpos envueltos en telas de color blanco o rojo. En cuanto hay una hoguera disponible, los porteadores bajan hasta el río los restos del difunto, ya preparado para su último viaje, y lo sumergen una última vez en el Ganges. Uno de ellos entreabre a continuación la boca del muerto para derramar en ella unas gotas de agua. Luego el cuerpo se coloca sobre un montón de leña. Los empleados de Ranjit Chowdhury recubren el cadáver con más ramas y reparten por encima el contenido de un tarro de mantequilla clarificada.

Con la cara y la cabeza recién afeitadas, y el cuerpo purificado por un rosario de abluciones rituales, el hijo mayor del difunto da entonces tres vueltas a la hoguera para ofrecer al muerto el último adiós de su familia. Un sirviente le entrega la antorcha que hundirá en la pirámide de madera que sostiene el cuerpo. En seguida brota hacia el cielo un géiser de chispas. Unos instantes más tarde, oigo un crujido seco entre en las llamas. Es el cráneo del difunto, que acaba de estallar para dejar que su energía fluya hacia la eternidad del cosmos. Esta mañana, como en cada amanecer, como cada día y cada noche, una ciudad sagrada de la India se evade de las preocupaciones materiales del mundo para ofrecer a sus peregrinos el regalo de la liberación eterna.

*

Un gran sobre blanco con el blasón de dos lanzas entrecruzadas del 61.º regimiento de Caballería del ejército indio me espera a mi regreso de las hogueras de Benarés. El 61.º de Caballería es el último regimiento a caballo de la India, herencia del ejército británico. Un ejército cuyo mero nombre hacía surgir antaño todo un universo de relatos románticos que inflamaban la imaginación. Un ejército que había sido el protagonista de todas las epopeyas, el club donde toda una juventud inglesa, sedienta de gloria y de espacios, había venido a buscar la aventura. Desde los héroes de Kipling hasta Gary Cooper cabalgando en las pantallas de cine a la cabeza de los lanceros bengalíes. Toda una imaginería había popularizado las hazañas de los *gentlemen* blancos con sus cascos de plumas al mando de jinetes tocados con turbantes.

Veinticinco años después del adiós de los últimos oficiales británicos y su regreso a su brumosa isla, el 61.º de Caballería del ejército de Indira Gandhi aún mantenía algunas de las tradiciones heredadas del imperio de la reina Victoria. Por ello, el regimiento organizaba una vez al año uno de los peligrosos juegos inventados por los caballeros de Su Graciosa Majestad, una caza del jabalí con lanza. La tarjeta que encuentro en el sobre con las armas del 61.º regimiento de Caballería me invita a participar. Es un gran honor del que disfrutan muy pocos extranjeros. Para mí, que tan a menudo lamento no haber sido un lancero bengalí persiguiendo a los feroces guerreros patanes en las laderas del paso del Khyber, la invitación del 61.º de Caballería me llega como un consuelo. Sé a qué ruda prueba física me voy a enfrentar. Para prepararme, me precipito a caballo cada mañana al campo de polo de mis amigos de la guardia presidencial. Empuñando el mazo más pesado que encuentro, me lanzo a tumba abierta, más que al galope, de una portería a otra detrás de las bolas que me lanza un entrenador como si fueran jabalíes. Un rudo entrenamiento que me demuestra que no tengo ninguna posibilidad de llegar a figurar jamás en los títulos de crédito de *Tres lanceros bengalíes*.

Al volante, naturalmente, de la prestigiosa encarnación del pasado que poseo, parto hacia el campamento del 61.º de Caballería erigido para la caza a orillas del Ganges, a un centenar de kilómetros al norte de Nueva Delhi. Decir que la guardia de honor parece que fuera a recibir nada menos que al propio virrey no es en absoluto exagerado. Apenas la calandra plateada coronada por su figurita alada hace su aparición en la entrada del campo, mi Silver Cloud se gana el derecho a recibir un «¡Presenten armas!» en la más solemne tradición de la Guardia de Buckingham. Dos oficiales se presentan en seguida solícitos en torno a mi coche para guiarme hacia mis «aposentos», una impresionante serie de tres tiendas que acogen un salón-comedor, un dormitorio y un cuarto de baño. Las dos personas destinadas a mi servicio, un *bearer* y un *sweeper*, ambos vestidos con una túnica blanca realzada con un cinturón y un turbante con los colores verde y oro del regimiento, cogen mis cosas del maletero del coche antes de cubrir el Rolls-Royce con una lona para protegerlo del sol. En la India, un coche semejante tiene que ser tratado como un dios.

Según la tradición, se celebra una cena de gala que reúne, en torno al coronel, a todos los participantes de la caza del día siguiente. No creo lo que estoy viendo. Vestido con su uniforme de doradas hombreras, el coronel Prakash Singh, un gigante de dos metros de altura, con la barba enrollada, acoge a los trescientos invitados con las maneras de un gran visir. Dispuestas en círculos bajo la inmensa tienda-comedor, una veintena de mesas rodean el estrado de la mesa de honor, hacia la que los oficiales conducen a los invitados más distinguidos. Así que me encuentro sentado entre el embajador de México y el propietario del *Indian Express*. Detrás de cada invitado hay un criado con túnica y turbante blancos, inmóvil, en marmórea posición de firmes. Comunico a mis vecinos mi entusiasmo ante los ramos de rosas rojas que adornan cada mesa, ante la profusión de platos y cubiertos que decoran los manteles de lino blanco. ¿Cómo ha podido sobrevivir tanto lujo a la desaparición del imperio? Sobre unos paneles dispuestos alrededor de todo el comedor, señorean varios ornamentos, como el retrato del fundador del regimiento, el príncipe Alberto Víctor, hermano del rey Jorge V, así como magníficas cabezas de tigres y de leopardos disecados, como recordatorio de que en la jungla situada en torno a nuestro campamento viven animales más peligrosos que los jabalíes.

Un toque de trompeta anuncia el inicio de la cena. Mientras un ballet de sirvientes aporta sobre inmensas bandejas de plata los más que picantes refinamientos culinarios de los cocineros del 61.º de Caballería, el coronel nos brinda una vibrante bienvenida. Luego coge una lanza de acero que blande ante la concurrencia.

–He aquí el arma con la que mañana nos cobraremos el trofeo de nuestra caza del jabalí. Aquel que logre ser el primero en derramar la sangre de un animal habrá ganado. Ya sabéis lo azarosa que puede ser esta hazaña. Los jabalíes son animales astutos, extremadamente rápidos. Acercarse a ellos en la alta vegetación para empalarlos exige una habilidad ecuestre y un coraje particulares. Al finalizar la cena, cada uno de vosotros recibirá una lanza y se le atribuirá un caballo. El *breakfast* se servirá mañana a las cuatro, para poder partir a las cinco. Entretanto, *have a good dinner, dear friends, and plenty of good drinks!*

En cuanto a *drinks*, la bodega del coronel es generosa. Whisky, vodka, vino y cerveza colman hasta arriba las copas de los asistentes. Es una tradición de los regimientos de antaño, cuando, en sus cenas de gala anuales, se forzaba a los invitados a embriagarse al límite, siempre que se presentaran puntualmente a la revista al día siguiente, a las seis. Tras el postre llevan a la mesa una jarra de oporto que pasa de mano en mano, en el sentido contrario a las agujas del reloj, comenzando por el coronel. Me entero de que el hecho de no celebrar este rito sería de mal augurio. En la época del Imperio británico, el coronel proponía entonces tres brindis: al rey emperador, al virrey y al regimiento. Esta noche, los brindis de nuestro coronel con su barba enrollada se dirigen «al presidente de la República India, a Shrimati Indira Gandhi, primera ministra, y al regimiento». Pero el 61.º de Caballería también ha heredado otra tradición. Después de cada brindis, el coronel lanza su copa por encima del hombro. En seguida, el sargento que se halla detrás de él se apresura a pulverizarla con un taconazo antes de volver a ponerse en firmes.

*

Noche corta, despertar a base de fanfarrias y pantagruélico *breakfast* a la británica, con sus huevos revueltos y sus montañas de salchichas, de arenques marinados y de bacón asado. Más que suficiente para armarse contra los peores desafíos. Éstos no tardarán. Un sargento me indica mi caballo, un animal de orejas curvas que se agita de un lado a otro y al que la vista de las lanzas y de los demás caballos hace resoplar de impaciencia. Me monto a duras penas sobre la silla y cojo la lanza que me tiende el sargento. ¡Maldición! ¿Cómo voy a sujetar este trozo de acero durante todo un día de carreras tras una piara de cerdos salvajes? Dominique, ¿acaso la India de Kipling te está arrastrando a una aventura que te supera?

Me sitúo en la columna que el coronel dirige hacia el Ganges, que vamos a vadear a caballo. A orillas del río nos espera una especie de camión camuflado cuyos costados lucen un inquietante presagio. Se trata de una ambulancia militar decorada con una enorme cruz roja. Un poco más lejos, cuatro elefantes y sus conductores están esperando para permitir el paso al otro lado de una decena de esposas invitadas, que seguirán la caza desde lo alto de su mirador ambulante.

El espectáculo de trescientos caballos, con el agua hasta el pecho, vadeando en el frescor de la madrugada el río sagrado es de una belleza tan mágica que todos guardamos un silencio respetuoso. Los primeros rayos del sol en el aire inmóvil anuncian ya una jornada tórrida. Una vez llegados a la otra orilla, los oficiales nos separan en grupos de quince. Cada grupo se denomina una *heat*. Cuando un jinete vislumbre un jabalí, tendrá que gritar: «*Boar!*» (¡jabalí!), y toda su *heat* se lanzará con él tras los pasos del animal. Un centenar de batidores armados con porras se han situado a la entrada de las hierbas altas del terreno de caza, de varios kilómetros de anchura y de profundidad. Al tañido de una trompeta, se pondrán en marcha. La línea de jinetes que blanden sus lanzas se moverá entonces hacia el campo de batalla de los jabalíes. Pero un espectáculo imprevisto trastoca de repente esta impecable puesta en escena. A unos centenares de metros detrás de nosotros, los elefantes que transportan a las esposas de mis camaradas se están hundiendo en las arenas movedizas del Ganges. En lo alto de los paquidermos reina el pánico. Los gritos se mezclan con los bramidos de terror. Hay pasajeras aterrorizadas que se lanzan al agua. Otras se aferran a los desdichados domadores, que intentan sacar a sus animales de la terrible trampa del río. El coronel pronuncia órdenes que movilizan al regimiento para socorrer a los náufragos. Pero nosotros no vamos a asistir al salvamento.

La caza arranca y nada debe interrumpir su desarrollo. Excitados por los gritos de los batidores, los caballos se encabritan, relinchan. Intentar retener a un animal presto a brincar como si estuviera en la línea de salida de una carrera me lastima los dedos hasta que sangran. Muchos jinetes no pueden impedir que sus monturas se lancen a la carrera. El peligro es que las hierbas altas y la espesura ocultan el terreno. Un caballo equipado con toda su impedimenta situado delante de mí desaparece tras una loma. Cuando vuelve a aparecer, el desgraciado caballo luce una herida espantosa. En su caída, un tallo de bambú le ha atravesado el ojo derecho. Entonces una voz aúlla: «*Boar!*», lo cual desencadena la avalancha frenética de nuestro equipo. El jabalí corre tan de prisa que nadie logra acercarse. Lo peor es su habilidad para despistar a sus perseguidores. Tan pronto está delante como detrás, o a la izquierda, o a la derecha. Esta estrategia de fuga pronto justifica la presencia de la ambulancia que está esperando a orillas del Ganges. Las caídas son incontables, así como los brazos y los hombros fracturados. Hay caballos con las patas fracturadas que tienen que ser sacrificados allí mismo. Por fortuna, un tañido de trompeta anuncia que un equipo ha logrado *to spill the blood*, hacer correr la sangre, fórmula consagrada que revela que se ha tocado a un jabalí. El coronel está tranquilo. Sus cazadores no volverán al campamento con las manos vacías. El cerdo salvaje será decorado con guirnaldas y expuesto con gran pompa sobre la tribuna del comedor del campamento. En compañía de las otras víctimas, si la caza ha sido provechosa. Pero es raro que las trescientas lanzas del 61.º de Caballería logren ensartar más de media docena de jabalíes. El guionista de *Tres lanceros bengalíes* realmente se inventó una caza de película... Tras varias horas de alocado galope, las orillas del Ganges parecen un campo de batalla napoleónico en noche de derrota: caballos sin jinetes, jinetes cojos, errando por todas partes, desamparados. Bendigo a los dioses de mi amada India porque me hayan mantenido sobre la silla, aunque no me hayan concedido el honor de manchar con el rojo de la sangre el espolón de la lanza que a duras penas sujeto con los brazos.

A esta jornada tan movida le faltaba el salvamento de los elefantes atrapados en las arenas movedizas del Ganges con sus pasajeras. Una serie de submarinistas del cuerpo militar de ingenieros, llamados al rescate, los encordaron para arrastrarlos hacia la orilla con la ayuda de potentes tractores. Un concierto alucinante de bramidos acompaña la operación. Cuando el río sagrado acepta finalmente liberar a sus prisioneros, se produce una loca manifestación de cantos y danzas que se prolonga hasta el campamento, sellando con un apoteósico y sonoro final este inolvidable *pigsticking* heredado del folclore del imperio de la reina Victoria.

Sabiendo que soy un gran partidario de la supervivencia de esta tradición, mis amigos de la guardia presidencial que maniobran cada mañana sobre sus magníficos caballos ante el palacio de piedra arenisca de color rosa construido por los ingleses, me invitan generosamente a su rica panoplia de juegos ecuestres. Como los partidos de *tent pegging*, un juego heredado de las guerras de antaño, cuando los caballeros de un campamento hacían saltar con un golpe de lanza certero las estacas de las tiendas enemigas. Es un juego muy excitante que requiere velocidad y precisión, y para el que muestro, de entrada, algunas disposiciones.

Decididamente, yo tendría que haber conocido la India en los siglos anteriores, cuando los colonizadores de la lejana Inglaterra llegaron para escribir la Historia a la cabeza de sus escuadrones de *sowars*. Los espacios infinitos del subcontinente indio ofrecieron a esos *gentlemen* lo que no podía darles su estrecho territorio insular, un escenario sin límites en el que saciar su sed de aventuras. Llegaron a los muelles de Bombay imberbes y tímidos a los diecinueve o veinte años. Treinta y cinco o cuarenta años más tarde regresaban con el rostro curtido por el excesivo sol y el whisky, el cuerpo marcado por heridas de bala, por enfermedades tropicales, las garras de una pantera o las caídas en el polo, pero orgullosos de haber vivido una parte de la leyenda del último imperio romántico del mundo.

A menudo, la aventura comenzaba en la confusión teatral de la estación Victoria de Bombay. Allí, bajo los arcos neogóticos, descubrían el país donde habían elegido pasar su vida. ¡Qué choque tuvo que ser para ellos el primer contacto con el torbellino frenético de la población indígena, con el olor penetrante de orina y especias, con el calor abrumador e inhumano! ¡Qué sorpresa debían de sentir al descubrir de repente la complejidad del mundo indio ya en las mismas fuentes de agua de la estación! Como en todas partes en la India, en cada grifo un letrerito identificaba el agua «reservada» a los europeos, a los hindúes, a los musulmanes y a los intocables. ¡Qué alivio debían de experimentar al ver los vagones de color verde oscuro del Frontier Mail o del Hyderabad Express, cuyas locomotoras llevaban el nombre de célebres generales británicos! Detrás de las cortinas de los vagones de primera clase les esperaba un mundo familiar, un mundo de asientos profundos con reposacabezas bordados, botellas de champán enfriándose en cubiteras de plata. Sobre todo, un mundo en el que los únicos indios que se iban a encontrar eran el revisor, con sus guantes blancos, y los camareros del vagón restaurante.

En el vagón de tercera clase del tren que me lleva de Nueva Delhi a Calcuta no hay ni revisor con guantes blancos ni camareros. Mientras Larry Collins vuela hacia Madrás, Bangalore y Bombay a fin de conocer a importantes personajes para nuestra labor de documentación, le soy infiel a mi compañero de cuatro ruedas y parto en tren bajo las huellas del Mahatma Gandhi, cuya mera presencia, en agosto de 1947, salvó a la gran ciudad del este del país de un espantoso genocidio entre hindúes y musulmanes. Aparte de sus piernas, el ferrocarril fue el único medio de locomoción que utilizó el liberador de la India en sus incesantes desplazamientos a través del país. Siempre exigía viajar en tercera clase, con los intocables, los leprosos, los campesinos. A lo largo de toda su vida, estos trayectos en compañía de los más desheredados ayudaron al Mahatma a identificarse con las fuerzas profundas de la nación.

–Si supiera lo que los caprichos de Gandhi costaron al Tesoro británico... –nos reveló lord Mountbatten, el último virrey de la India–. Teníamos tanto miedo de que lo asesinaran que todos los viajeros de sus vagones de tercera clase (intocables, mendigos, leprosos...) eran inspectores de policía disfrazados.

Para sumergirme mejor en el recuerdo del Mahatma, también yo he decidido coger un vagón de tercera clase. ¡Menuda experiencia, dura pero rica! Comparto mi austero asiento de madera con tres magníficas criaturas vestidas con saris de muselina de vivos colores, el rostro maquillado con polvos de color escarlata y pasta de sándalo. Sus voces no me dejan ninguna duda al respecto. Mis compañeros de viaje son eunucos. Se dirigen a la gran peregrinación que cada año reúne en la región de Benarés a trescientos mil miembros de su comunidad.

¡Qué experiencia, dejarse llevar durante dos días a

cuarenta kilómetros por hora, a través de las inmensidades abrasadas por el sol de la llanura indogangética, en el calor sofocante, entre el hollín, los gritos, los llantos, los olores de incienso, de curry y de orina, en medio de un prodigioso festival de colores, sonrisas, vitalidad, dignidad! Gandhi sin duda tenía razón: para conocer y amar verdaderamente un pueblo, la mejor manera es viajar con él en un vagón de tercera clase.

El enorme caravasar de la estación de Howrah, la ciudad gemela de Calcuta donde desembarcó el Mahatma un cuarto de siglo antes, sigue siendo un campamento de refugiados que invaden los andenes, los vestíbulos, las salas de espera, las aceras. La partición del país en 1947 y la guerra de 1971 entre la India y Pakistán hizo que millones de personas huyeran a Calcuta aterrorizadas por las masacres. Me siento proyectado a una corte de los milagros. Bajo la luz macilenta de los tubos de neón, mujeres de senos vacíos despiojan a niños de vientre hinchado; niños vestidos con harapos husmean entre las basuras en busca de algo que comer; hay leprosos que se arrastran sobre tablas con ruedecillas tendiendo su escudilla; hordas de perros sarnosos duermen encogidos sobre sí mismos. Como contrapunto, se producen escenas de vida trepidantes. Una nube de *coolies* vestidos con túnicas rojas trotan de un lado para otro, llevando en la cabeza pirámides de fardos y de maletas; vendedores de hojas de betel, de frutas, de cigarrillos, de agua, serpentean entre la multitud; una oleada de taxis y de coches se abre paso a golpes de claxon para depositar a los viajeros ante la puerta misma de sus vagones; se forman interminables colas en torno a las taquillas. El espectáculo me embriaga, y me aturde el ensordecedor bullicio de los altavoces, de los gritos, de las llamadas, de los silbidos de las locomotoras.

Una visión insólita me asombra. ¿Por qué hay tantas balanzas automáticas en este vestíbulo de la estación? Ante cada una de ellas se apiña gente que no tiene más que la piel sobre los huesos. ¿Por qué se gastan una valiosa monedita de veinte *paisa* para conocer el grado de su delgadez? Termino por descubrirlo. En el reverso de la indicación del peso, cada papelito ofrece también el horóscopo. En Calcuta, tal vez las balanzas automáticas son las únicas que se atreven a garantizar la promesa de un mejor karma.

¡Calcuta! Al salir de la estación y de todas sus visiones infernales, ¿cómo podía imaginar que la ciudad a la que acababa de llegar acabaría teniendo tanta importancia en mi vida?

Encuentro una habitación en el Bengal Club. Hasta el final del imperio, una placa en la puerta de este templo de la supremacía del hombre blanco anunciaba que la entrada del club estaba prohibida «a los perros y a los indios». Sin rencor alguno, los prósperos burgueses de la ciudad tomaron el relevo de sus colonizadores. Habían dejado los retratos de sus antiguos amos en las paredes de los salones y de las salitas de fumar. Criados con los pies desnudos, vestidos con las mismas libreas y tocados con los mismos turbantes que antaño, seguían sirviendo, en la vajilla con las armas de la Compañía de la India, la insípida *Mulligatawny soup* y el cordero a la menta, importados de las brumas inglesas, bajo los trópicos de Bengala. Cada mañana, exactamente a las cuatro y media, el viejo *bearer* musulmán destinado a mi habitación, y que ha pasado la noche en el pasillo, presto a saltar a mi menor llamada, me trae el tradicional *early morning tea* bien negro, bien caliente y bien dulce, con el que comienzo cada jornada en la India. Este rico brebaje me da fuerzas para ir hacia el Victoria Memorial, el enorme «pastel» de mármol blanco que los propios indios edificaron por suscripción pública para honrar a su emperatriz. Delante del edificio, en un jardín ricamente embellecido con flores, la imponente estatua de la reina Victoria, desde lo alto de su trono, parece que haga señas a sus súbditos para que se acerquen. Porque este monumento es un punto de encuentro al que acuden, a cada amanecer, miles de habitantes para un baño colectivo de clorofila. Me encuentro en medio de decenas de comerciantes vestidos con *dhotis*, matronas bien rollizas envueltas en saris multicolores, estudiantes en pantalones y camisas blancas, jubilados con su legendario casquete blanco del com-

Primer encuentro con la guardia montada de mi querida India

Los lanceros montados de la guardia presidencial me reciben delante del palacio que antaño fue cuartel general de los virreyes que reinaban sobre el Imperio británico de la India. Los uniformes y los gallardetes que ondean en la punta de las lanzas son los mismos de la época de la emperatriz Victoria.

Un Rolls-Royce llegado de Francia para perpetuar el recuerdo de los marajás de mi querida India

A bordo de un venerable Rolls-Royce traído de Francia recorrí la India con Larry Collins con el fin de documentarnos para nuestro libro *Esta noche, la libertad.* En el Raj Path, la avenida imperial que conduce al palacio presidencial, del que, al fondo, se entrevé la cúpula, el Rolls-Royce flanqueado por sus admiradores: Larry, a la izquierda, y el autor de estas líneas, a la derecha.

Cada vez que el Rolls-Royce haga su aparición, lo saludarán como si de un soberano se tratase.

Un cuarto de siglo antes, el marajá de Bikaner invitó al virrey lord Mountbatten a pasar revista a los camelleros en su Rolls-Royce oficial.

A pesar de poseer veintisiete Rolls-Royce, en 1938, el marajá de Patiala encabezó a pie el cortejo de su coronación.

El marajá de Bikaner celebraba con gran fasto su cumpleaños, haciéndose regalar el equivalente de su peso en lingotes de oro.

En el centro, sentado en el trono, el marajá de Kapurthala, rodeado de los miembros de la Cámara de los Príncipes, de la que es presidente.

Por su parte, el marajá de Udaipur penetraba en la jungla con un Rolls-Royce transformado en vehículo de caza para practicar, a pesar de su enfermedad, su deporte favorito: la caza del tigre.

El homenaje de mi querida India al venerable automóvil de otros tiempos

En una carretera del Punjab, un viejo sij con turbante me hace señas para que me detenga con el fin de sentarse en el venerable buque insignia que cruzaba su pueblo. Cincuenta años antes, había combatido en Francia en las trincheras de la primera guerra mundial.

En el paso del Khyber, que antiguamente señalaba la frontera del Imperio británico de la India, estos escudos de armas engarzados en la montaña recuerdan a los regimientos ingleses que disputaron a los guerreros patanes el control de las tierras fronterizas.

Los encuentros con los animales de Kipling en las carreteras de mi querida India

Un encuentro realmente insólito: el de un venerable Rolls-Royce llegado de Francia y un elefante del Rajastán. Estos paquidermos y sus guías recorren decenas de kilómetros para ser alquilados con ocasión de fiestas y ceremonias nupciales. En la India, los elefantes son objeto de devoción y se utilizan incluso en los templos.

Yo mismo he recorrido largas distancias a lomos de elefantes suntuosamente adornados con tejidos de brocado y otros atavíos con preciosas incrustaciones.

Una generación separa estas dos fotografías

Recibiendo al Mahatma Gandhi en la cómplice intimidad de su estudio de virrey, lord Mountbatten logró negociar la independencia de las Indias.

Veinticinco años después, el último virrey del Imperio británico de la India me revela los secretos de esas negociaciones en el salón del castillo de Broadlands, donde se ha retirado.

Sedujeron a la Gran Alma de la India

Gracias a su calurosa hospitalidad, lord Mountbatten y su esposa, Edwina, vencieron las reticencias de aquel que había liderado la revuelta de las masas indias contra la dominación británica. Para Gandhi, profeta de la no violencia, la táctica revolucionaria del último virrey hizo que Inglaterra se retirara pacíficamente de las colonias indias.

Confieso a las dos grandes sacerdotisas de mi India

Indira Gandhi, primera ministra de la mayor democracia del mundo, me contó lo ocurrido entre bastidores en aquellas horas gloriosas de agosto de 1947, cuando su padre, el Pandit Nehru, proclamó, con ella a su lado, la independencia de la India.

Con la Madre Teresa de Calcuta, símbolo universal de la caridad, viví la batalla de una santa para vencer la pobreza y dar esperanza a los más desfavorecidos.

Tras la pista de la Gran Alma que rompió las cadenas de mi amada India

En el *ashram* Sabarmati de Ahmedabad está el póster que celebra una de las hazañas más importantes del Mahatma Gandhi para la liberación de la India. En 1930, partiendo de esta ciudad y seguido de doscientos mil discípulos, el viejo Mahatma recorrió a pie trescientos cincuenta kilómetros para extraer un puñado de sal del mar y exigir a los ingleses la supresión del impuesto sobre un elemento vital para un país oprimido por el clima tórrido.

Gandhi amaba cruzar a pie los inmensos espacios de su país. Y cuando debía coger el tren, viajaba siempre en un vagón de tercera clase en compañía de los más pobres, de los leprosos y de los intocables.

La Gran Alma de la India murió pronunciando el nombre de Dios

Tres balas de pistola disparadas a quemarropa por un fanático hindú pusieron fin a la vida de Gandhi el 30 de enero de 1948.

Antes de expirar, el Mahatma sólo tuvo tiempo de decir: «*He Ram.*» (¡Ay, Dios mío!) Su asesinato conmocionó a la India y al mundo entero. Al día siguiente, más de tres millones de fieles acompañaron el féretro hasta las orillas del río Yamuna, donde se había erigido la pira funeraria.

Reconstruyendo el delito del siglo con los asesinos del profeta de la no violencia

Los asesinos de Gandhi se habían fotografiado todos juntos antes de cometer su crimen. En torno al gurú Veer Savarkar (primera fila, segundo por la izquierda), se encuentran los siete miembros del comando: en primera fila, de izquierda a derecha, Narayan Apte, Veer Savarkar, Nathuram Godsé, Vishnu Karkare; de pie, de izquierda a derecha, Gopal Shukla, Gopal Godsé, Madanlal Pawa y Digambar Badge.

Liberado tras veinticinco años de prisión, Gopal Godsé, hermano del asesino que disparó las tres balas mortales, regresa con Larry y conmigo al lugar del delito con el fin de reconstruir para nosotros el asesinato de Gandhi.

La caza del jabalí con lanza tras los pasos de *Tres lanceros bengalíes*

Me inician en uno de los deportes más peligrosos: el de la caza del jabalí, que solían practicar los ingleses.

Armado con una pesada lanza, galopo durante cuatro horas junto con trescientos jinetes bien entrenados tras los jabalíes, que corren en todas direcciones al amparo de la maleza y de la hierba alta. De pronto, siento la sangre de Gary Cooper corriéndome por las venas. Sólo mi amada India podía ofrecerme una aventura semejante.

Viajar a través de mi amada India significa descubrir algún nuevo tesoro en cada etapa

En un templo jainista del sur de la India, conozco a este discípulo del profeta Mahavira. Para estar seguros de no infringir los principios de la no violencia tragándose sin darse cuenta un insecto, los adeptos del jainismo se cubren la nariz y la boca, y cuando caminan van barriendo el suelo que tienen ante sí. (Izquierda)

Cerca de Mysore asisto a la aspersión ritual de la enorme estatua del profeta jainista Bahubali con miles de litros de leche y agua procedente de los ríos sagrados de la India. (Derecha)

Este elefante de preciosos atavíos adorna los muros de un palacio de Udaipur. Las cuadras del marajá albergaban en el pasado más de doscientos paquidermos como éste.

Toda la India está llena de joyas como este templete hindú que descubrí en el curso de mis viajes por Rajastán.

Algunas imágenes inolvidables de mi querida India

Un carro decorado por algunos habitantes de Bengala para celebrar mi llegada a su pueblo.

Allí por donde paso, me recibe siempre un tigre, recuerdo de las grandes cacerías de antaño, cuando estos animales poblaban las junglas del país. Hoy, los tigres son una especie protegida. En estado salvaje sólo quedan trescientos o cuatrocientos ejemplares.

La cantidad de especias que ofrece un vendedor en el sur de la India es tal que no sé cuál elegir.

Collins y yo en la histórica frontera de mi amada India

A la izquierda, Pakistán. A la derecha, la India. Larry y yo llegamos a la histórica frontera que desde 1947 divide en dos el antiguo Imperio británico de la India. A pesar de las tres guerras que estallaron entre la India y Pakistán tras la partida de los ingleses, logramos hacer que posen con nosotros los dos jefes del puesto fronterizo de Wagah: a la izquierda, el mayor pakistaní Abdul Natif, a la derecha, el coronel indio Bhular. Ambos llevan en la mano el bastón de los oficiales británicos, legado de la época en que servían juntos en el famoso ejército de la India.

Un cementerio de camiones para despedir al venerable Rolls-Royce

Tras haber recorrido más de veinte mil kilómetros por las carreteras de mi querida India con el fin de documentarme para *Esta noche, la libertad*, pongo nuevamente rumbo a Francia. Pero dejo a mis espaldas un auténtico cementerio de coches y camiones: en aquellas carreteras estrechas, donde se circula casi siempre por el centro de la calzada, los conductores pierden el control a la vista de un buque insignia como el nuestro.

Al entrar en Afganistán, un cartel me recuerda que aquí terminaban el Imperio británico y la conducción por la izquierda.

bate por la independencia. Todos vienen a estirar las piernas a la espera del acontecimiento primordial que gobierna la vida de millones de indios: el alba.

En el instante mágico en el que el disco rojo de Surya, el dios sol, surge de entre las brumas lechosas para enmarcarse entre las cuatro torretas del campanario neogótico de la catedral de Saint-Paul, estallan aplausos frenéticos. Sentado en la posición del loto, un hombre santo con un vestido color azafrán recita mantras, mientras que un grupo de jóvenes hindúes entonan un canto de acción de gracias. Inmovilizadas, como si estuviesen hipnotizadas, parejas e incluso familias enteras contemplan con respeto la bola de fuego que anuncia el fin de las tinieblas y el nacimiento de un nuevo día. Yo me siento embargado por la emoción general.

Al otro lado del Victoria Memorial me sorprende otro espectáculo bien diferente. Como el célebre monumento, el hipódromo también es un atractivo indudable de esta ciudad, en cuyo despertar matinal también participa el entrenamiento diario de los purasangres. Un carrusel mágico, irreal, asombroso, que presagia un sinfín de sorpresas.

Para desplazarme por esta ciudad perpetuamente paralizada por embotellamientos terribles, para circular sobre todo por las estrechas callejas de los barrios de chabolas que Gandhi pacificó en 1947, utilizo un medio de transporte que todas las ciudades de la antigua colonia han eliminado desde entonces de sus calles: un *rickshaw*. En Calcuta, cincuenta mil hombres-caballos siguen tirando de sus carretas para transportar gente y mercancías. Entablo amistad con uno de ellos. Hasari Pal es originario del Bihar, una provincia muy pobre del nordeste. A los treinta y cinco años, ha alcanzado una edad récord en esta profesión, donde raramente se superan los treinta años, a causa de la tuberculosis que les devora los pulmones. Como tantos campesinos, Hasari Pal se vio obligado a vender su único campo a fin de reunir la dote sin la cual su hija no habría podido casarse. Privado de todo recurso, partió hacia la ciudad-espejismo de Calcuta. Un conductor de *rickshaw* originario de un pueblo vecino le dejó alojarse en el hueco de la escalera que compartía con otras seis personas de la misma región. Al poco tiempo este conductor consiguió que su jefe lo contratara. Después de pagar el alquiler de su carretilla y satisfacer los diferentes diezmos correspondientes a intermediarios, policías y otros parásitos, le quedan a Hasari el equivalente de menos de treinta euros al mes para alimentarse y enviar un giro postal a su familia, que se ha quedado en el pueblo.

Un día le pregunto a este pobre hombre si me da permiso para tirar de su herramienta de trabajo. Estupefacto ante el hecho de que un *sahib* quiera, ni que sea por un momento, cambiar de encarnación hasta ese punto, se apresura a satisfacerme. Me muestra las marcas de sus palmas en las barras, allí donde ha desaparecido la pintura.

–¿Lo ves, hermano? Lo importante es encontrar el equilibrio del *rickshaw* en función del peso que llevas. Para ello, debes poner las manos en el lugar adecuado.

Siguiendo sus consejos, me sitúo entre las barras y doblo la espalda para intentar poner en marcha el aparato. Se precisa una fuerza de búfalo ya que, incluso vacío, pesa más de ochenta kilos. Mis músculos se tensan al máximo. Se me hinchan las mejillas. Me siento propulsado hacia adelante, empujado por el peso de la carretilla, que parece avanzar sola. Es una sensación irreal. Para ralentizar o parar, se precisa una fuerza todavía mayor que para arrancar.

Mi descabellada iniciativa provoca una aglomeración. Ningún bengalí recuerda haber visto nunca a un hombre-caballo de piel blanca corriendo por las calles de Calcuta. Hasari está exultante. El oprimido, el aplastado, el sufrido, el esclavo humillado durante tantos miles de kilómetros, ha adoptado el papel de pasajero en el estrecho asiento de molesquín rojo. Un corro de chavales nos escolta riendo. Hasari debe de creerse en el carro mitológico de Arjuna, tirado por sus asnos alados a través del cosmos. ¡Pobre Hasari! Sabe que, en la jungla de la circulación, no es más que un paria comparado con los conductores de los vehículos a motor, en particular los de los autobuses y los camiones, que se dan el sádico gusto de rozar a los *rickshaws* lo más cerca que pueden, de asfixiarlos con los gases de sus tubos de escape, de aterrorizarlos a golpes de claxon. Salgo de esta aventura roto, pero desbordando admiración por el coraje de estas víctimas de un karma nefasto.

❖

Mi buena estrella de investigador vela sobre mí, incluso entre la loca agitación de Calcuta. Encuentro a dos compañeros íntimos del liberador de la India. No lo abandonaron a lo largo de todas las jornadas dramáticas de agosto de 1947, cuando su mera presencia impidió que la capital de Bengala se precipitara en el horror. Ranjit Gupta era uno de los oficiales de policía encargados de su seguridad; el escritor Nirmal Bose ejercía de secretario suyo. Los dos se convierten en mis *sherpas*, guiándome paso a paso, hora tras hora, en la intimidad del salvador de Calcuta y de sus ocho millones de habitantes. Un año antes de su llegada a Calcuta, una atroz masacre de odio racial y religioso provocó veinticinco mil muertos en tres días. En 1947, con ocasión de la división de la India, centenares de miles de víctimas prometían crear una explosión de odio entre hindúes y musulmanes.

Gracias a mis dos cicerones, encuentro la casa donde Gandhi se instaló para llevar a cabo su milagro. Una casa de la que se han adueñado las ratas, las serpientes y las cucarachas, en un suburbio popular al este de la ciudad, donde hindúes y musulmanes habían comenzado ya a destriparse. Para apagar el incendio, Gandhi blandió el arma más paradójica que se podía emplear en aquella ciudad donde morir de hambre era, desde siempre, la más común de las maldiciones. Lo que emprendió fue un ayuno, un ayuno que estaba decidido a proseguir hasta su muerte si sus compatriotas no ponían fin a su sanguinaria locura.

Al amanecer del tercer día, la voz del Mahatma ya no era más que un murmullo imperceptible y su pulso era tan débil que se podía creer que su fin era inminente. Mientras se difundía la noticia, la angustia y los remordimientos invadieron Calcuta. Y se produjo el milagro. Mientras los últimos alientos de vida luchaban en el cuerpo agotado del viejo profeta, una oleada de amor y de fraternidad recorrió la inhumana metrópolis para salvar al «padre de la nación». Cortejos de musulmanes y de hindúes se diseminaron por los barrios más afectados por la furia asesina para restaurar el orden y la calma. Para probar su sinceridad, una serie de sicarios acudieron a la cabecera del Mahatma, abrieron los pliegues de sus *dhotis* y arrojaron a sus pies una lluvia de cuchillos, puñales, sables, pistolas y ganchos, todavía manchados con el rojo de la sangre. En las espesuras miserables de Kelganda Road y en torno a la estación de Sealdah, los sicarios de todas las comunidades envainaron de nuevo las armas para colgar todos juntos las banderas de la nueva India en las farolas y los balcones.

A las nueve y cuarto de la noche, el 4 de septiembre de 1947, Gandhi puso fin a su ayuno con unos sorbos de zumo de naranja. Antes, había dirigido una advertencia a los habitantes: «Calcuta tiene ahora la clave de la paz de toda la India. El menor incidente aquí es capaz de engendrar en otras partes incalculables repercusiones. Aunque el mundo esté ardiendo, debéis procurar que Calcuta permanezca fuera de las llamas. Haced que Calcuta sea un día el orgullo del cielo.»

¡El orgullo del cielo! Un cuarto de siglo después de que la Gran Alma de la India lanzara este llamamiento, encuentro la presencia de Dios en cada uno de mis pasos por las calles de esta ciudad. La semana pasada, vi desembocar una procesión con multitud de estandartes y oriflamas verdes en Chittapore Road, en una confusión de fanfarrias, bloqueando toda la circulación. Era el Muharram, la celebración del Año Nuevo islámico. Los tres millones de musulmanes de Calcuta estaban en la calle. Era un día festivo, como una docena de otros más del calendario de esta ciudad, macedonia de pueblos y de creencias. Dos días antes, lo que me había despertado de repente, a mí y a toda la ciudad, era una atronadora traca de petardos. Los sijs celebraban el nacimiento del gurú Nanak, el venerado fundador de su comunidad. Desde todos los barrios, procesiones acompañadas por carros suntuosamente decorados con guirnaldas de flores habían cogido el camino de las diferentes *gurdwaras*. Durante todo el día, miles de altavoces hicieron resonar la alegría de los sijs. Si aquel día se me hubiera ocurrido buscar un taxi, habría tenido nueve posibilidades sobre diez de que los taxistas con su barba enrollada y el turbante azul o rojo hubieran abandonado sus coches para ir a honrar a su gurú. Hoy es el Barra Bazar lo que está en efervescencia. Los jainíes *digambara* celebran el retorno de la temporada de las peregrinaciones, marcada por el fin oficial del monzón. Pero sobre todo es el homenaje a Durga, la diosa hindú destructora del demonio, lo que hace de Calcuta un centro religioso tan importante. Durante cuatro días y cuatro noches, esta ciudad de reputación tan siniestra se convierte en una ciudad mágica llena de luz, alegría y esperanza. Tengo la suerte de vivir los ritos de esta fiesta con Hasari Pal, el conductor del *rickshaw*, y con sus compañeros de profesión. Gracias a ellos descubro un lugar asombroso: todo un barrio de viejos hangares, talleres miserables y callejas donde centenares de hombres, padres e hijos, confeccionan las obras de arte más fascinantes que se hayan consagrado jamás a una divinidad o a unos santos. Durante todo un año, estos artistas de la casta de los alfareros han rivalizado en inspiración y amor para que de sus manos broten las mayores, las más monumentales, las más suntuosas representaciones de la diosa Durga. Es un trabajo prodigioso: después de haber construido la estructura con paja trenzada, los alfareros recubren su modelo con arcilla gris, que esculpen a continuación delicadamente para darle la forma y la expresión deseadas. Luego terminan la estatua decorándola con el pincel, dándole un aspecto fantástico e intencionadamente grotesco. Familias, asociaciones, clubes y comunidades encargan con antelación miles de representaciones de Durga.

El cuarto día de la fiesta, cuando se pone el sol, camiones, carros, taxis o *rickshaws*, en el caso de las más pequeñas, llevan las estatuas, así como a sus devotos propietarios, a orillas del Hooghly, el tumultuoso brazo del Ganges. Cada Durga se decora entonces con guirnaldas de flores y las familias las bajan lentamente, respetuosamente, hasta el agua. Arrastradas por la corriente, las estatuas confiadas al río sagrado se alejan entonces hacia la eternidad de los océanos, llevando consigo las alegrías y las penas del pueblo de Calcuta.

De todas las fiestas religiosas, ninguna me transporta con tanta emoción como la que proclama el nacimiento de Cristo. Los cristianos de Calcuta forman una pequeñísima comunidad en comparación con el número de fieles de las otras creencias. Pero no son los menos fervientes. De todos modos, en Calcuta, las celebraciones religiosas son un asunto de todos. Unos días antes de Navidad, los conductores hindúes y musulmanes de los autobuses se aprestan a decorar sus vehículos con guirnaldas de claveles amarillos. Las calles de los barrios comerciales se iluminan con bombillas multicolores y banderolas. Park Street, la via

Veneto local, célebre por sus vendedores de crema helada y sus tiendas de lujo, está inundada por un mar de luces. En las aceras hay niños que venden figuritas de Papá Noel de papel maché, que han confeccionado y decorado en los talleres de sus barrios de chabolas. Otros ofrecen abetos de cartón y belenes llenos de copos de nieve de algodón, una extravagancia en esta ciudad cuya temperatura oscila entre los 20 y los 48 °C. En Chowringhee, la antigua avenida imperial, las tiendas están llenas de regalos, de botellas de vino, de whisky y de cerveza; hay cestas en las que desbordan las frutas exóticas, los productos de confitería, conservas finas. Ante todas estas mercancías convergen maravillados los ojos de los habitantes de los barrios pobres. Acompañadas de sus sirvientas, ricas indias en sari hacen sus últimas compras pensando en el cotillón. Familias enteras se sumergen en Peter Kat, en Tandoor, en el Moulin Rouge, en todos los restaurantes de moda. En el Park Hotel, una cena espectáculo con champán y baile cuesta más de mil rupias, lo que gana en tres o cuatro meses mi amigo Hasari Pal ejerciendo de hombre-caballo.

Los preparativos de Navidad no son menos vibrantes en los barrios pobres, en particular dentro de los islotes poblados de cristianos. Las familias han pintado sus casas antes de dibujar *rangolis* ante las puertas, esas bonitas composiciones multicolores que adornan los umbrales de tantas moradas indias. Numerosos belenes adornados con imágenes santas o con un ejemplar de los Evangelios abierto en la página de la Natividad completan el emocionante homenaje de los pobres al nacimiento de su Salvador.

En las ventanas y en los bordes de los tejados arden decenas de bastoncillos de incienso y de velas. Pero para los pocos cristianos de este universo masivamente poblado de hindúes y de musulmanes, el símbolo más hermoso de esta fiesta de Navidad es la estrella luminosa que se balancea en lo alto de una caña de bambú plantada sobre un tejado. Según se dice, iluminó el viejo corazón del Mahatma Gandhi, ya que fueron hindúes y musulmanes quienes tuvieron la idea de izar este emblema de esperanza en el cielo de este barrio abrumado por el sufrimiento. Como para decir a sus habitantes: «No temáis más. No estáis solos. Porque esta noche nacerá el dios de los cristianos, entre nosotros habrá un salvador.»

Unos minutos antes de medianoche, el aire cargado de humo se llena de repente con las armonías de los carillones de la Virgen del Buen Viaje, la iglesia de Calcuta anexa a la inmensa estación de Howrah, donde voy a asistir a la misa del gallo. El edificio, lleno de guirnaldas y de estrellas luminosas, se parece en las tinieblas a un palacio de marajá en una noche de coronación. En el patio, a unos pocos metros de las aceras donde miles de indigentes duermen en el frío invierno, un pesebre monumental con personajes de tamaño natural reconstituye el nacimiento del Mesías sobre la paja del establo de Belén.

Una multitud ruidosa y colorista, con las mujeres en sari de fiesta y la cabeza recubierta de velos bordados, y los hombres y los niños vestidos como príncipes, llenan la vasta nave decorada con banderolas y guirnaldas. Los suntuosos ramos de nardos, rosas y claveles que adornan el altar y el coro los han traído parroquianos de los barrios de chabolas vecinos.

De repente, una salva de petardos desgarra la noche. El cura, tan majestuoso como un Gran Mongol vestido con su alba inmaculada y sus ornamentos de seda roja, hace su entrada a la cabeza de un cortejo de diáconos y monaguillos. Acompañada por el órgano, la congregación se pone a cantar. Es medianoche en Calcuta, es Nochebuena. De un extremo al otro de la inmensa ciudad afligida por tan duras pruebas, de centenares de gargantas brota el canto triunfal cargado de esperanza: «¡Ha nacido el niño Dios!»

¡Oh, Calcuta, ciudad de Dios, ciudad del Amor! Son las cinco y media de la mañana en Lower Circular Road, una amplia avenida con las aceras llenas de baches y todavía atestadas de durmientes arrebujados en su *dhoti* como en una mortaja. Olor acre de los braseros que se encienden. Llamadas frenéticas de una campana hindú para la *puja* del alba. El número 54/A es un gran edificio gris. Accedo a la puerta de entrada por una estrecha calleja lateral. Una simple placa de madera en el umbral: «MOTHER TERESA.» Tiro de un cordel que hace sonar una campanilla en el interior. Aparece el rostro muy oscuro de una joven monja india cubierta con un velo blanco ribeteado de azul. En seguida brota de la sombra que hay detrás de mí un anciano famélico que intenta deslizarse por el vano de la puerta. La monja le impide amablemente la entrada y le explica en bengalí cómo dirigirse a los centros de cuidados y de socorro. Una religiosa me conduce hacia la primera planta, donde se encuentra la capilla: una vasta sala muy desnuda con grandes ventanas que dan al estruendo de la ciudad que se despierta. En la pared, detrás del altar, un simple crucifijo de madera coronado por una inscripción: «TENGO SED.»

¡Tengo sed! Qué emoción descubrir entonces, arrodillada al fondo de la pieza, sobre un viejo saco de arpillera remendado, a quien, desde hace veintidós años, sacia aquí la sed de Jesús crucificado. Sí, qué emoción contemplar a esta anciana, arrugada como una nuez, replegada sobre sí misma, con los labios temblando con una plegaria perpetua, y decirse: «Bendita seas, Calcuta, pues en tu desdicha has sido capaz de engendrar santos.» Hay un buen centenar de santos esta mañana en la capilla de la Madre Teresa. Santas de veinte años, de piel a menudo muy negra, procedentes de todos los rincones del país para adoptar el velo blanco y azul de las Misioneras de la Caridad deseosas de aportar un poco de amor y alivio a los más abandonados. Cada mañana, después de la misa, hacia las seis y media, salen del convento de dos en dos para dirigirse en autobús, en tranvía o a pie a los hogares para moribundos, los orfanatos, los dispensarios creados por la Madre Teresa. Entonces se produce algo totalmente extraordinario, cuando estas frágiles siluetas se dispersan por las profundidades de la ciudad. Se diría que una oleada de generosidad se difunde de golpe, una vibración que lleva esperanza y que aporta a todos los desheredados la certeza de que son amados, que ya no están solos, que ya no deben tener miedo.

La Historia negará al arquitecto de la independencia el derecho a saborear la victoria. El 30 de enero de 1948, seis meses después de haber expulsado a los ingleses y haber salvado Calcuta de un baño de sangre, Gandhi cayó en pleno corazón de Nueva Delhi bajo las balas de un asesino.

«¡La luz se ha apagado sobre nuestras vidas, y no hay más que tinieblas!», exclama Nehru, el primer ministro de la India libre, con palabras que traducen a la perfección el dolor de la nación.

«El Mahatma Gandhi ha sido asesinado por su propio pueblo, para cuya redención había vivido», es el titular a toda plana del diario *Hindustan Standard*. «Esta segunda crucifixión en la historia del mundo ha tenido lugar un viernes, el mismo día en que Jesús moría, 1.915 años antes. Padre, perdónanos.»

El asesino del Mahatma fue un fanático hindú que

reprochaba a Gandhi que preconizara el entendimiento entre hindúes y musulmanes después de haber aceptado la división territorial del país entre ambas comunidades. Se llama Nathuram Godsé. Lo colgarán junto a su cómplice principal por ese crimen que se calificará de «asesinato del siglo». Los otros cuatro conjurados fueron condenados a cadena perpetua. Un día de marzo de 1972, un recuadro en primera plana del *Times of India* nos sobresalta, tanto a Larry como a mí. Después de veinticinco años de prisión, los cuatro conjurados acaban de beneficiarse de un indulto por buena conducta. Esta providencial clemencia nos ofrecerá la posibilidad de organizar algunas entrevistas espectaculares.

Elijo lanzarme tras las huellas de Gopal Godsé, el hermano del asesino. Lo encuentro en las afueras de la ciudad de Poona. Es un cincuentón más bien distinguido, de cabello gris, cuidadosamente peinado, que lleva con elegancia una larga camisa blanca. Consciente de que es un personaje histórico, se muestra amable, incluso caluroso, totalmente dispuesto a responder sin reserva a mis preguntas. La galería en la que me acoge está adornada con un mapa gigante de la India que engloba el territorio de Pakistán. Una cinta de bombillas eléctricas representa el curso del Indo, serpenteando en la parte superior del mapa, y en el centro está colgada una gran foto del asesino adornada con una guirnalda de flores. No hay remordimiento alguno, ni lamento en las respuestas precisas y detalladas que me ofrece Gopal Godsé. Me sorprende oírle pronunciar el nombre de Gandhi con reverencia. Añade el sufijo *ji*, que en hindi aporta una connotación afectuosa a un patronímico. «Gandhiji» por aquí, «Gandhiji» por allá, me cuesta creer lo que oigo. ¿Se deberá al ideal de la no violencia de Gandhiji?

–*My dear friend*, era una época en la que las mujeres hindúes se tenían que suicidar para escapar a la infamia de ser violadas por los musulmanes. ¿Qué les decía Gandhiji? ¡Que la víctima es el vencedor!

Después de haber pasado un cuarto de siglo en prisión, la cólera de Gopal Godsé permanece intacta.

–La no violencia de Gandhi lanzó a los hindúes a las garras de sus enemigos. Los refugiados hindúes morían de hambre, y Gandhiji ensalzaba su sacrificio a la vez que defendía a sus opresores musulmanes. ¿Hasta cuándo podíamos tolerarlo? Sí, ¿hasta cuándo, *my dear friend*?

Godsé me invita a la ceremonia que cada 15 de noviembre conmemora la ejecución de su hermano. Ha colocado sobre un pedestal, ante el gran mapa de la India, una pequeña urna plateada que contiene las cenizas de Nathuram. En efecto, la víspera de su ejecución, éste pidió que sus cenizas «se conservaran hasta el día en que pudieran diseminarse en las aguas del Indo cuando éste fluyera a través de un país reunido al fin bajo el dominio hindú». Todos los miembros de la familia del asesino, mujeres y niños incluidos, están presentes. Una melopea obsesiva, tocada con un sitar acompañado por el martilleo de un pequeño tambor, llena pronto la habitación. Tras un signo del dueño de la casa, los participantes levantan el puño y juran frente a la urna funeraria y el retrato del asesino de Gandhi, que reconquistarán «la porción amputada de nuestra madre patria», es decir, Pakistán, y que reunificarán la India bajo el dominio hindú. Con un sentido calculado de la escenografía, Godsé abre a continuación un cofre del que salen algunos vestidos.

–He aquí la camisa que llevaba Nathuram el día en el que mató a Gandhiji –anuncia exhibiendo una túnica caqui manchada de sangre, recuerdo de los golpes de porra que recibió cuando lo arrestaron.

Luego muestra el pantalón y las sandalias de su hermano. Todos se inclinan respetuosamente ante estas reliquias. Luego Godsé lee el testamento del asesino. Mientras el sitar y la tabla retoman su melopea, los participantes acuden, uno tras otro, a postrarse ante las cenizas, con una vela en la mano. Cada uno de ellos hace girar su vela varias veces en torno a la urna antes de elevarla hacia la serpiente luminosa que simboliza al río Indo. En coro, todos repiten su promesa de reconquistar la tierra perdida de la India.

Un día propongo a Gopal Godsé que regrese conmigo al escenario del crimen para repetir ante una cámara los gestos del asesinato. Larry invitará a otros miembros del complot a que se unan a esta reconstrucción. Me propongo ir con mucho cuidado. La policía india renunció a efectuar una reconstrucción de los hechos con ocasión de la instrucción del proceso, ante el temor de que se produjeran sangrientas reacciones de venganza. ¿Acaso Godsé me considerará un provocador y me echará? En cuanto le expongo mi proyecto, veo como cabecea de izquierda a derecha, con aspecto más bien satisfecho.

–*It's a very good idea* (Es una gran idea). –Luego, frunce el ceño–. *But only if I can take my family along* (Pero sólo si puedo llevar a mi familia conmigo).

Compro billetes de tren para todo el mundo y he aquí que veintiocho horas de viaje más tarde nos encontramos en el jardín de Nueva Delhi donde, el 30 de enero de 1948, a las diecisiete horas y siete minutos, el hermano de Gopal Godsé disparó las tres balas fatales contra el padre de la nación.

–El jardín estaba atestado de gente –cuenta Godsé ante la cámara–. Era la hora de la plegaria diaria de Gandhiji, quien se iba a dirigir a la multitud desde una pequeña tarima instalada sobre el césped. De repente vimos como llegaba el cortejo. Gandhiji iba a la cabeza, apoyándose con las dos manos sobre los hombros de sus sobrinitas. Nathuram se había situado en el camino que llevaba a la tarima de oración. Era una posición ideal. Vi como sacaba el revólver de su bolsillo.

Estoy inquieto. Las tomas han atraído a una multitud de curiosos. Entre ellos hay numerosos sijs, reconocibles por sus turbantes. ¿Cuál será su reacción cuando se enteren de la identidad del hombre al que estoy filmando?

Gopal Godsé prosigue, imperturbable.

–Mi hermano disimuló lo mejor que pudo el revólver entre sus palmas y se inclinó respetuosamente ante Gandhiji, diciendo: «*Namaste, Bapu*» (Salud, padre). Luego apartó a una de las niñas para no herirla y abrió fuego: una vez, dos veces, tres veces. Gandhi balbuceó: «*He Ram*» (Oh, Dios mío) y se desplomó sobre la hierba. Todo había acabado.

Ante estas palabras, veo que un gran sij de aspecto feroz rebusca bajo su camisa. Un sudor glacial me inunda la espalda: estoy convencido de que busca el puñal que llevan siempre los miembros de su comunidad. Imagino ya el filo centelleante al sol. Va a degollar a Gopal Godsé, y tal vez al cámara y a mí también. De este modo habrá vengado a los centenares de millones de indios que lloraron desconsolados la pérdida de su Gran Alma.

Pero me equivoco. Gandhi ha muerto hace demasiado tiempo. Lo que busca este imponente sij no es el arma de la venganza. Tiende a Godsé un trozo de papel y un bolígrafo. Quiere su autógrafo.

❋

¡Qué felicidad! Mi amada India nos ha colmado, a Larry y a mí, con la documentación más formidable jamás reunida sobre la caída del Imperio británico de la India y la división del subcontinente en dos naciones soberanas, la India, de mayoría hindú, y Pakistán, de población musulmana. Más de dos mil testimonios inéditos y unos quinientos kilos de documentos reunidos. Un tesoro casi enteramente original que alimentará con toda su riqueza el relato de una de las mayores páginas de la historia del siglo XX.

Sólo el maletero del Silver Cloud nos puede ofrecer la seguridad del retorno a Europa de esta inestimable cosecha. La distancia de Nueva Delhi a Ramatuelle, el puerto en el que debemos recalar, cerca de Saint-Tropez, supone en los mapas unos diez mil kilómetros, es decir, un cuarto del diámetro de la Tierra. Una bagatela para un automóvil que acaba de recorrer el triple a través de la traicionera red de carreteras del subcontinente.

A la hora H del día D, decenas de amigos están allí para vernos partir como astronautas hacia el espacio. Nuestra llegada a la frontera indo-pakistaní no augura nada bueno para nuestra expedición. Desde el último conflicto entre ambos países esta frontera sólo se abre dos días por semana, y únicamente durante unas horas. Mala suerte: llegamos el día equivocado. Pero ¿qué frontera puede permanecer cerrada ante el capó imperial de un Rolls-Royce? Palam Sing, el mayor indio, y Habib Ullah, el comandante pakistaní, aceptan ponerse de acuerdo para dejarnos pasar. Descorchamos nuestra última botella de champán en homenaje a esta inesperada confraternización.

¡Qué excitación, rodar por la Great Trunk Road, que, desde el paso del Khyber hasta las bocas del Ganges, más allá de Calcuta, unificaba antaño, con un solo trazo de asfalto de dos mil kilómetros, todo el norte del Imperio de la India! Nos deslizamos con precaución entre las oleadas de camiones, autobuses, carretas y *rickshaws*. En Lahore, el conductor de una *tonga* nos cierra tanto el camino que su tapacubos abolla el embellecedor de la rueda delantera derecha. En seguida formulo la promesa de no arreglar nunca esa ligera marca que ha dejado en mi coche una carreta del otro extremo del mundo.

Peshawar, en las puertas de Afganistán. El histórico paso del Khyber, donde los buenos tiradores de las tribus insumisas se divierten a menudo haciendo saltar a tiros de fusil los tapones del radiador de los coches, ve pasar con sorpresa nuestro majestuoso automóvil. Murmuro una plegaria para que nadie quiera hacer blanco en la Flying Lady que luce mi capó. Cortada a pico en la montaña, vadeando barrancos y desfiladeros sobre audaces y artísticas obras públicas, bordeada en toda su longitud por una pista caravanera, vigilada por puestos militares de tramo en tramo, la carretera hiende una de las fronteras más peligrosas del mundo. Se me encoge el corazón cuando, clavados en la vertiente de la montaña, aparecen los blasones de los regimientos británicos que vinieron a defender aquí las puertas del imperio. Más allá de una última curva y de un puesto de aduana, un gran cartel proclama: «WELCOME TO AFGHANISTAN. KEEP TO THE RIGHT», Bienvenido a Afganistán, circule por la derecha.

¡Adiós a Asia y a conducir por la izquierda! Dentro de un mes estaremos bajo los pinos de Provenza para comenzar a redactar, entre los chirridos de las cigarras, nuestro gran relato. Serán trece meses de un trabajo de monje, apenas interrumpido por breves visitas a lord Mountbatten, en su mansión inglesa de las Broadlands, a fin de confrontar tal o cual punto de nuestra investigación con sus recuerdos o sus documentos personales.

Una de estas visitas me ofrece la ocasión para arreglar una cuenta pendiente. Un día detengo mi Silver Cloud ante el escaparate londinense donde, dos años antes, me enamoré de un Rolls-Royce Corniche verde pálido. El vendedor de cuello duro me reconoce al instante. Le ruego que llame al jefe de exportaciones que había rehusado venderme aquel coche e invito a los dos hombres con su chaleco negro a que salgan a la calle para saludar a mi coche. «Les he traído un regalo de la India», les digo, blandiendo ante el capó unas pequeñas pinzas y un cuenco. Separo delicadamente uno de los insectos adheridos a la rejilla de la calandra y lo presento a los dos empleados de la prestigiosa compañía.

–He aquí un mosquito recogido en alguna parte de

una carretera del norte de la India –les digo–. He pensado que querrían conservar este espécimen alado en recuerdo de un Rolls-Royce que no tuvo miedo de saltarse sus prohibiciones para viajar a través de un país donde su desdichada marca ya no tiene representación.

¡Hurra! Estamos acabando de escribir el libro. Nuestro editor francés, Robert Laffont, está tan entusiasmado con la lectura de los primeros capítulos que me atrevo a hacerle una proposición extravagante: llevar a un centenar de libreros por los caminos que recorrimos en nuestras investigaciones, a fin de prepararlos para la salida del libro.

Y así nos volvemos a encontrar, una mañana de 1975, en pleno paso del Khyber compartiendo el pan y la sal con los temibles guerreros patanes. Antes de recibir en la frontera de la India una lluvia de pétalos de rosas que nos arrojan lanceros a caballo, y deshacernos en lágrimas al escuchar una vibrante *Marsellesa* tocada por la fanfarria de las fuerzas de seguridad. Mi querida India no repara en esfuerzos a la hora de ofrecer su rostro más generoso. En Delhi, Indira Gandhi, entonces primera ministra, recibe en su residencia a nuestro editor y a los libreros, que pronto van a dar a conocer el relato de la lucha de su país por la liberación. En Jaipur, el marajá y su corte nos ofrecen un gran partido de polo. En Katmandú, el rey del Nepal reúne a los visitantes a los pies de su *diwan* real.

En el avión de regreso hacia París, los viajeros encargan más de doscientos mil ejemplares para los escaparates del verano. El libro se llamará *Esta noche, la libertad*. Es una abreviación de la célebre frase que pronunció Nehru, la noche de la independencia, cuando exclamó: «Esta noche, cuando los hombres duerman, la India se despertará en libertad.»

Traducido simultáneamente al italiano, al español, al alemán y al inglés, *Esta noche, la libertad* pronto encabezará las listas de ventas. Muchos libreros transformarán sus escaparates en templos dedicados a la India, mezclando los ejemplares de *Esta noche, la libertad* con una exposición de álbumes, guías, memorias y relatos consagrados al país de Gandhi. Muchos de ellos atraerán a los clientes quemando bastoncillos de incienso que darán un toque oriental a sus tiendas.

En España, donde me invitan a una gira de promoción, el título de nuestro libro casi provoca un grave incidente político. En efecto, el libro llega a los escaparates en el momento en el que el general Franco vive sus últimas horas en el Palacio del Pardo. Todo el país está pendiente de la agonía del dictador. Ante el temor de que el título *Esta noche, la libertad*, se interprete como una provocación, hay libreros precavidos que colocan en sus escaparates imponentes carteles en los que declaran que «El nuevo libro de Lapierre y Collins no trata acerca de los dolorosos acontecimientos que vive España en este momento».

El inmenso éxito comercial de *Esta noche, la libertad* me ofrece los medios para realizar la promesa que me había hecho en el curso de mi investigación: la de mostrar mi agradecimiento a la India por la hospitalidad que me ha ofrecido. He entrevistado a varios centenares de personas, ricos, pobres, marajás, *coolies* del puerto de Calcuta, humildes campesinos. Todos me han acogido con tanta generosidad que ha llegado la hora de expresarles mi gratitud.

De acuerdo con mi esposa Dominique, siempre dispuesta a combatir las miserias del mundo, un día cojo cincuenta mil dólares y nos vamos de nuevo a la India. Deseo ofrecer esta suma a una organización humanitaria que se ocupe de niños que sufran lepra. Aliviar la suerte de estos enfermos siempre fue uno de los grandes empeños de Gandhi. Hay cinco millones de leprosos en la India. Muchos son niños. Los principales focos de la horrible enfermedad son, naturalmente, lugares míseros como los barrios de chabolas de Calcuta. Así que compramos los billetes de avión para Calcuta. Sin sospechar en qué aventura nos estamos embarcando con este gesto.

Segunda parte

Los héroes desconocidos de mi amada India

Nada más llegar a Calcuta vamos a contarle nuestro proyecto de ayuda humanitaria a la Madre Teresa. Es un archivo vivo de todos los sufrimientos de los pobres. Sabe muy bien a qué institución podríamos dirigir nuestro gesto de solidaridad.

–¡Os ha enviado Dios! –exclama con entusiasmo.

–*Mother*, lo que le traemos no es más que una gota en el océano de las necesidades –me excuso.

Nos mira con una risueña ternura.

–Si esta gota de agua no acudiera a reunirse con el océano, la echaríamos en falta –responde ella con convicción.

Aquella misma noche, un jovial europeo de unos cuarenta años, vestido con una camisa india y un pantalón de algodón, se presenta de su parte en nuestro hotel. En quince años, el inglés James Stevens ha arrancado de la miseria y de la muerte a más de un millar de niños víctimas de la lepra. Este próspero comerciante de camisas y de corbatas vendió todos sus bienes y renunció a su confortable vida en Inglaterra para hacer realidad esta hazaña. Al hogar que fundó el 25 de marzo de 1970 en un suburbio de Calcuta, le dio el nombre de Udayan, una palabra hindi que significa «Resurrección».

Muy pronto descubrimos que la jovialidad y el florido atuendo de nuestro visitante no son más que una fachada que oculta un terrible drama: está a punto de cerrar el hogar y de volver a enviar a la miseria a los ciento veinte niños a los que aloja. Ha agotado todos sus recursos personales y no ha podido encontrar ayuda financiera para proseguir su obra. Un islote de luz en el corazón del infierno está a punto de desaparecer.

Al día siguiente, en el gran salón estucado de una vieja casa con columnas al estilo de Palladio, desconchada por lustros de monzones, nos acogen el inglés James Stevens y sus pequeños pupilos.

Llegamos en el momento más importante del día, el del almuerzo. Los ciento veinte niños están sentados en el suelo, con las piernas cruzadas. Con las manos juntas y los ojos cerrados, intensamente recogidos, cantan con voz aguda. Ante cada niño hay una hoja de plátano que contiene una montañita de arroz, trozos de pollo, pescado, lentejas. Una ración equilibrada de sana alimentación desconocida aún hoy por los estómagos de al menos cuatrocientos millones de indios. Stevens también canta. Esta mañana, el aleluya es una plegaria del gran poeta bengalí, amigo de

Gandhi, Rabindranath Tagore. Proclama que «Todo lo que no se da, se pierde». Al final del cántico, James recita una corta invocación en bengalí. Cuando termina, ciento veinte manitas derechas se abaten sobre la comida para amasar los diferentes componentes en una primera bolita que en seguida se llevan a la boca y engullen. Aparte del ruido de la masticación, el silencio es total. Cada rostro está concentrado en un acto sagrado, cada bocado se recibe con gravedad, cada gesto se lleva a cabo con dignidad.

James nos lleva a continuación a los dormitorios, que también sirven de aula para clases, judo, yoga, gimnasia. Una imagen de Jesús, otra de Vishnú, y una sura del Corán decoran cada pieza. Una ala de la casa acoge los talleres donde los niños aprenden a ser sastres, mecánicos, electricistas, oficios que les garantizan encontrar un trabajo al salir del centro, y les permitirán arrancar a su familia de la miseria. En la India, por cada empleo que se consigue se salvan veinte personas. En las paredes de la enfermería, una serie de carteles denuncia ciertos prejuicios relativos a la lepra. No, la lepra no es una fatalidad. No, no es forzosamente contagiosa. No, no es hereditaria. No, no es una enfermedad vergonzosa. Sí, puede curarse fácilmente.

Tres veces por semana, un médico indio viene de Calcuta a administrar a los pequeños los cuidados apropiados. Uno de cada cinco niños llega al hogar mostrando los primeros síntomas, por lo común, una despigmentación de la piel en varios lugares del cuerpo. A esta edad, las mutilaciones son raras. Un tratamiento enérgico a base de sulfona suele hacer desaparecer estos primeros signos en menos de un año. Pero la lepra no es más que una de las numerosas afecciones que se ciernen sobre estos niños acostumbrados a vivir en cuchitriles sin higiene, en el fondo de infames patios interiores donde se disputan la comida con las cucarachas y las ratas. Sufren carencias nutricionales que acarrean una retahíla de enfermedades: raquitismo, tuberculosis pulmonar y ósea, malaria, amebiasis. Algunos incluso padecen xeroftalmia, una ceguera nocturna debida principalmente a la falta de vitamina A.

Mientras arranca sus cuerpos de la degradación, Stevens se consagra a la educación de sus jóvenes protegidos. Ha abierto una escuela para que aprendan a leer, a escribir y a contar. Después de las clases, todos se reúnen para los cursos de canto, de yoga, de artesanía, y para las tareas de mantenimiento de la casa y del jardín. Para los mayores, James ha creado talleres a fin de enseñarles un oficio a cada uno. Nos presenta a Sultán Alí, el hijo del conductor de un *rickshaw* que, a los once años, se está convirtiendo en un as de la máquina de coser. Casi está curado de la lepra y, como muchos musulmanes, se prepara para convertirse en sastre. De esta orientación manual también se benefician los que no logran cursar la enseñanza secundaria porque su subalimentación cuando eran pequeños alteró su desarrollo cerebral.

Un día, este antiguo comerciante de camisas de Londres echó raíces definitivamente en esta India a la que ya ha dado su corazón. Se casó con Lallita, una profesora cristiana, originaria del Punjab. Con su hijo, Ashwani, los Stevens llevaron desde entonces la misma vida que los niños de su hogar de acogida, durmiendo como ellos sobre una estera que desenrollan cada noche sobre el mismo suelo, compartiendo sus comidas, sus alegrías, sus penas, rezando con ellos ante las imágenes de las divinidades hindúes, de la Kaaba de La Meca y de Jesús que decoran los dormitorios comunes.

Por desgracia, las organizaciones caritativas que lo habían apoyado hasta ahora se han comprometido en otros lugares del Tercer Mundo. James libra una batalla encarnizada para encontrar otras fuentes de financiación, pero nadie en Occidente parece interesarse por los niños de Calcuta que padecen de lepra. Para alimentar a sus protegidos se ve obligado a pedir préstamos. Pero los intereses exorbitantes de los prestamistas le frustran toda esperanza de impedir el cierre de su hogar. Desesperado, se ve obligado a considerar lo peor: devolver a todos sus protegidos al horror de sus cuchitriles.

Embargada por la emoción, mi mujer saca de su bolso el paquete de dólares que hemos traído.

–Esta primera ayuda le permitirá pagar las deudas –le digo, antes de añadir, sin reflexionar mucho–: lucharemos para que no tenga que cerrar jamás el Hogar Resurrección.

A nuestro regreso a Francia, decido fundar una asociación de apoyo a la obra de este inglés desconocido.[1] Para darla a conocer, cuento la historia del Hogar Resurrección en un artículo publicado en la revista *La Vie*. Al final del relato lanzo una llamada a los lectores: «Si son mil personas las que de entre ustedes me mandan cada año cincuenta euros –el precio de una buena comida en un restaurante–, todos juntos podremos salvar a ciento veinte niños de la miseria absoluta de los barrios de chabolas de Calcuta.»

Unos días más tarde, el portero de mi finca llama a la puerta. Su cara de desconcierto nos intriga. «El cartero acaba de descargar cinco sacos de cartas en la entrada –nos dice–. Todos están a su nombre. ¿Qué hago?» Una decena de voluntarios llamados al rescate, entre ellos las cinco hermanas de mi esposa Domi-

1. **Asociación «Action pour les Enfants des Lépreux de Calcutta»**

Dominique y Dominique Lapierre

Val de Rian - F-83350 Ramatuelle - France

Telefax: +33 (0)4 94 97 38 05

E-Mail: <dominique.et.dominique.lapierre@wanadoo.fr>

<www.citedelajoie.com>, <www.cityofjoyaid.org>, <www.indiga.org/calcuta/lapierre5.php>.

Video 5' «Saving the poorest children of the world» via You Tube: <http://www.youtube.com/watch?v=YX8PpKKv2r0>.

«Todo lo que no se da, se pierde», proverbio indio.

nique, vienen a ayudarnos a despejar una avalancha de cerca de tres mil sobres. Casi todos contienen una donación en forma de cheque, de giro postal o incluso un billete de banco. Muchos también incluyen palabras de ánimo que nos reconfortan en lo más hondo.

«Nuestra hija Marie cumple hoy un mes –escribe una pareja–. Su nacimiento ha sido una llamada a la vida y queremos que sea una señal de alegría y del espíritu de compartir. Nuestros amigos y nuestra familia han sustituido el tradicional regalo de bienvenida a Marie por una donación para el hogar de acogida de James Stevens en Calcuta. He aquí el total de nuestras donaciones. Sabemos que es una gota de agua, pero es una señal de vida.»

Una pareja nos confía que el bautismo de su hijo Simon les ha supuesto la ocasión de reflexionar sobre la situación de otros niños que no han tenido la suerte de nacer en un país rico. «Por ello –escriben– hemos pedido a nuestras familias, a nuestros amigos, a nuestra comunidad cristiana, que los regalos con ocasión del nacimiento de Simon sea el de participar en una donación para los niños del Tercer Mundo y más precisamente para los del Hogar Resurrección de James Stevens.»

Madeleine Maire, originaria de una pequeña ciudad cerca de París, envía el producto de la colecta que ha hecho entre los parientes y amigos que han acudido a velar a su marido tras su muerte. «Jean-Marie era guía de alta montaña –escribe–. El trece de septiembre de 1981, un alud en el macizo del Mont-Blanc se lo llevó por delante. Era un hombre bueno y entregado que se preocupaba por los demás. Los niños de James Stevens deben saber que nunca los abandonarán.»

Un remitente acompaña su donación con una foto de tres niños de piel oscura, radiantes de alegría de vivir. «Nos sentimos implicados –dice–, ya que hemos adoptado a dos niños indios de Pondicherry y a una niña de Guatemala. Son tan maravillosos y nos aportan tanta felicidad que querríamos que todos los niños del mundo pudieran tener también un futuro feliz. Seguid con vuestra acción, con toda la valentía. Estamos con vosotros.»

Un sobre contiene todos los ahorros de una abuela.

Una madre inconsolable que acaba de perder a su hija, desea que el dinero que se habría gastado en ella «sirva para ayudar a otros niños a crecer y a aprender a sonreír».

«He cogido todo el dinero de mi hucha para enviárselo –escribe Laurent, un chaval de doce años–. No es mucho, pero pensaré en ustedes cuando pueda enviarles algo más.»

Son centenares los niños que, como Laurent, han roto la hucha. A veces es una clase entera la que nos envía el producto de una colecta. Marie-José Hayes, de diecinueve años, envía la mitad de su primer salario, y su madre añade un cheque en recuerdo de su hijo Jean-Louis, «muerto hace cinco años en un accidente de moto, cuando iba a una reunión de una asociación de ayuda. Soñaba con un mundo más justo, más fraternal. En su nombre, les continuaré ayudando».

«Sólo soy una empleada del hogar –escribe otra corresponsal–, pero trabajaré con alegría unas horas más para los niños del señor James.» Hay jubilados que se privan de una salida al cine, ancianos que comparten sus ahorros, un anónimo ha puesto en un sobre un paquete de bonos del Tesoro, un señor dos billetes de cien euros con una nota en la que ruega a James Stevens que acepte «un poco de lo que nos sobra a fin de que todos sus niños puedan vivir». En un sobre encuentro un cheque con esta explicación: «Mi compañía de seguros me acaba de entregar la suma de ocho mil euros como indemnización por un robo. Se lo envío para James y sus niños.»

Hay personas que se ofrecen para apadrinar a un niño, otras para ir a Calcuta a trabajar como voluntarios en el Hogar Resurrección.

«Tenemos entre nueve y diez años –dicen, en una carta colectiva, los alumnos de una escuela–, y hablamos mucho de quienes no tienen tanta suerte como nosotros. Diga usted a todos los niños del señor Stevens que los queremos y que los ayudaremos con todas nuestras fuerzas. Sobre todo, dígale al señor Stevens que no se desanime jamás.»

La asociación que acabo de fundar con Dominique para socorrer a mi amada India se encuentra de golpe con la riqueza de tres mil donantes cuyas fichas pronto llenan varias cajas de zapatos. No me resta más que enviar a nuestro amigo James el telegrama más hermoso de mi vida: «Hogar Resurrección salvado. Puedes acoger a cincuenta niños más. Llegamos pronto.»

Una retahíla de caras de tez oscura bajo una banderola que proclama, en grandes letras rojas: «WELCOME TO OUR SAVIOURS» (Damos la bienvenida a nuestros salvadores), nos espera en el aeropuerto de Calcuta. El calor de este homenaje se prolonga en el hogar, donde los niños han organizado un programa de danzas, juegos y competiciones deportivas. James ha invitado a sus padres a que se unan a la fiesta. Ninguna presencia puede hacerme sentir tan intensamente los vínculos que me unen de ahora en adelante con mi nueva familia india. Estos padres y estas madres que rodean a sus hijos que desbordan vida ya no tienen pies, ni dedos, ni nariz. A los treinta años, no son más que ruinas mutiladas.

Para ayudarnos a comprender hasta qué punto este hogar es una joya, James se ofrece para llevarnos a la colonia de leprosos donde recogió a los primeros niños que acogió. Desde fuera, no hay ninguna diferencia con el barrio de chabolas de la periferia donde vive. Y sin embargo, es un gueto bien singular. A este barrio nunca viene nadie con buena salud a vivir. Amontonados diez o doce por habitación, los seiscientos leprosos viven aquí en una segregación total. Una visión dantesca de rostros desfigurados, de pies y manos reducidos al estado de muñones, de llagas a veces infestadas de parásitos. Bajo tejadillos improvisados yacen, directamente en el suelo o sobre esterillas, seres de carnes descompuestas y purulentas. El espectáculo no es nada comparado con el olor, son unos tufos que revuelven el estómago y en los que se mezclan la putrefacción, el alcohol y el incienso. Y pese a ello, como sucede tan a menudo en este país, lo sublime convive con lo insoportable: en medio de los desechos y de las deyecciones, unos niños juegan a las canicas, riéndose a carcajada limpia.

Raju y Mohan, dos niños del hogar de seis y ocho años, nos llevan directamente a casa de sus padres. Nuestra llegada revoluciona toda la colonia. Una multitud de lisiados, de ciegos, de mancos, de personas con una sola pierna corre para tener un *darshan*, una comunión visual con el Hermano Mayor James y con sus amigos. Nos sonríen, y esas sonrisas no tienen nada de forzado, ni de implorante. Algunos golpean sus manos atrofiadas para aplaudirnos. Otros se empujan para acercarse a nosotros, para tocarnos. Raju nos presenta a su madre, una mujercita diminuta, atrozmente mutilada. Ya no tiene dedos, y su rostro roído se parece al de una momia egipcia. Pero su sonrisa resplandeciente nos hace olvidar su desgracia. Dominique se acerca a ella y la abraza. El gesto es doblemente notable. No sólo transgrede el habitual comedimiento de los indios, sino que sobre todo está dirigido a un «maldito», un paria entre los parias.

Nuestra visita acaba pareciendo el escenario de una feria. Unos mendigos músicos nos ofrecen una serenata de flautas y tamboriles. Ante la puerta de una choza, un anciano casi ciego empuja hacia mí a un niño de tres años al que acaba de adoptar. El hombre mendigaba ante la estación de Howrah cuando, una mañana, aquel chavalín raquítico se refugió junto a él como un perro perdido sin collar. Enfermo, despojado de todo, tomó al pequeño desdichado bajo su protección. Algo más lejos nos asombra el espectáculo de una niña que masajea, con sus dedos todavía intactos, el cuerpo descarnado de su hermanito. En un patio interior, cuatro leprosos en cuclillas sobre una esterilla juegan a los naipes. Para nosotros aquello representa la ocasión de asistir a un número digno de un circo. Las cartas revolotean entre las manos mutiladas antes de volver a caer en el suelo en un ballet de figuras saludado con exclamaciones y risas. ¿Cómo puede surgir tanta vitalidad, tanta alegría de vivir, a partir de semejante abyección? Esta gente es la vida. La VIDA en mayúsculas. La vida que palpita, que da vueltas, que vibra como vibra en todas partes en Calcuta. Numerosos habitantes de este barrio han venido de Bengala, de Bihar, de Orissa, del sur del país. La mayoría jamás ha recibido cura alguna.

A James se le festeja como al Hermano Mayor enviado por el cielo. Unas muchachas le ponen guirnaldas de claveles en torno al cuello. Las familias de los niños acogidos en el hogar han decorado la entrada de sus chozas con un *rangoli*, esos magníficos dibujos geométricos trazados sobre el suelo con harina de arroz y polvos de colores. La aparición del bienhechor a veces suscita escenas patéticas. Una mujer en sari amarillo deja sus muletas para arrojarse a sus pies y limpiar el polvo de sus sandalias antes de llevarse la mano a la frente y sobre el corazón. James se inclina para ayudarla a levantarse mientras Dominique le devuelve las muletas. La pierna derecha de esta joven está amputada hasta la rodilla. Su rostro intacto es de una belleza tan pura como la de una madona de Rafael. Un niño esquelético se aferra a los pliegues de su sari.

–¡*Dada*, hermano, cógelo, te lo ruego, cógelo contigo, por el amor de Dios! –implora en bengalí.

Y le cuenta a James que su marido la ha abandonado, y que ya no tiene nada que darles de comer a sus cuatro hijos. Nos sentimos turbados. Tengo ganas de gritar a nuestro amigo inglés que acepte la petición de esta madre, que ya encontraremos la suma necesaria para acoger a su hijo, que en Francia, en Italia y en otras partes hay gente que estaría dispuesta a compartir el dinero que le sobra para arrancar a este niño de su destino trágico. Pero no me atrevo a intervenir. Es James quien vive en Calcuta, no yo. Es él quien cada día afronta la desgracia de sus habitantes. El suspense se prolonga. Veo que James está dividido. Varias decenas de leprosos se han reunido en círculo a nuestro alrededor. Debido al calor y al mal olor, el aire es irrespirable. Dominique se ha quedado blanca.

James coge al niño en sus brazos y le habla suavemente. El rostro de su madre se ilumina con una sonrisa resplandeciente. ¡Qué bonita es esta mujer! «*Thank you, Dada*» (Gracias, hermano), dice, juntando sus dos manos, primero ante la frente y luego sobre el corazón.

Pienso en aquella frase de la Madre Teresa: «Salvar a un niño es salvar el mundo.»

Nuestra inmersión en el corazón del horror no ha hecho más que empezar. James nos lleva hacia otro barrio donde ha recogido a muchos de sus protegidos. El lugar se llama Pilkhana. Es una de las concentraciones humanas más densas del planeta. Aquí, setenta mil personas se hacinan en un espacio apenas más extenso que tres campos de fútbol. El entorno está tan contaminado que se nos inflaman los ojos y la garganta. Atravesamos un encabalgamiento de cuchitriles sin agua, sin electricidad, sin ventanas; callejas bordeadas de cloacas a cielo abierto; talleres propios de trabajos forzados, sin aire ni luz; una sucesión de establos pestilentes. Es un universo alucinante lleno de ratas, escolopendras, cucarachas... James nos revela que, aquí, la esperanza de vida no llega a los cuarenta años, y que nueve de cada diez habitantes no disponen siquiera de una rupia al día para sobrevivir, es decir, lo que hoy serían unos diez céntimos de euro. La mayor parte de esta gente son campesinos a los que un desastre climático –una sequía, un ciclón, una inundación, tan frecuentes en esta región del mundo– ha expulsado de sus tierras. No hay ninguna duda: este lugar es la antesala del infierno.

James nos lleva por las callejuelas hasta el fondo de uno de los patios interiores. Allí, en un espacio de diez metros por metro cincuenta, sin agua ni electricidad, sin ventanas ni muebles, ni siquiera un camastro, vive un suizo de cuarenta y cuatro años. Con su extrema palidez, su delgadez y su larga camisa india, se parece a cualquier trotamundos de camino hacia Katmandú. Se llama Gaston Grandjean. Nuestra llegada no le causa ningún placer.

–Lo siento, amigos, pero aquí no recibimos a turistas –exclama al vernos.

Desde hace doce años, el enfermero Gaston Grandjean y el equipo de trabajadores sociales indios que ha formado recorren sin descanso los rincones y escondrijos de este mísero barrio. La insalubridad, la desnutrición, las supersticiones, la falta de higiene no dejan ningún descanso a este otro extranjero que también se enamoró de la India. Sin embargo, necesitó varios meses para que lo aceptaran. ¿Qué ha podido empujar a un suizo a venir a compartir la extrema pobreza de un barrio como éste?

Desembarcó en Calcuta una mañana de octubre de 1972, con un zurrón que contenía un ejemplar de los Evangelios, una navaja de afeitar y un cepillo de dientes como único equipaje. Unos días más tarde se instaló en este barrio de chabolas. La curación de una pequeña vecina casi ciega y su solidaridad, desprovista de toda intención de convertirlos a su religión, fue venciendo poco a poco la desconfianza de los habitantes del barrio. Su reserva hacia nosotros parecía más difícil de desarmar. Por fortuna, la llegada de una niñita que acude corriendo a su improvisado dispensario facilitará el contacto.

–¡*Dada*, ven en seguida! –grita sin aliento–. Sunil se está muriendo.

El enfermero devuelve a su madre el bebé que se aprestaba a examinar, coge el zurrón, pega un brinco hasta la calle y, al reparar en que estamos allí, nos pregunta: «¿Tienen coche?»

Nos cuesta más de una hora llegar al barrio de chabolas donde vive el moribundo. El que fue un robusto muchacho de veinte años, acostumbrado a arrastrar pesadas cargas en su *rickshaw* ya no es más que un espectro descarnado. De sus ojos ya sólo se ve la parte blanca. Su madre, muy digna, llora dulcemente mientras le seca la frente y las mejillas. El desdichado padece una septicemia gaseosa. Respira convulsamente. Un reguero de baba fluye de su boca. Sin duda el fin es inminente. Los miembros de su familia parecen resignados. Aun así, Gaston llena una jeringilla con Coramina para reforzar el corazón, pero ya no hay carne donde clavar la aguja. No le queda más que la piel tensada al máximo sobre los huesos.

–Conocemos un dispensario al que acaba de llegar un médico alemán –le digo–. Quizá él...

El suizo me interrumpe:

–¡Llévelo! Nunca se sabe. Yo ya me ocupo de sus padres.

Dominique se instala en el asiento trasero y yo coloco al moribundo en sus brazos. Los atascos de esta ciudad de permanentes embotellamientos nos obligan a circular al paso durante kilómetros, cuando en realidad cada minuto, cada segundo cuenta. La respiración del muchacho cada vez es más irregular. Dominique acaricia sin cesar su rostro inmóvil, como para insuflarle su propia vida. ¡Maravillosa Dominique! Se parece a una *Pietà*. «Aguanta, aguanta, hijito», suplica, incansablemente. Nuestro chófer intenta maniobras acrobáticas para ganar unos pocos metros. El templete que nos sirve de referencia, con sus cuatro pináculos en forma de tulipanes, aparece al fin e, inmediatamente, la calle que lleva al dispensario. Salto del coche y atravieso la corte de los milagros que asedia la sala de consulta. Un joven europeo, rubio, está auscultando a un niño con el vientre hinchado.

–Doctor, llevo a un moribundo en el coche. Se lo ruego, venga en seguida.

El médico, alemán, se levanta sin hacer preguntas.

Coge a Sunil de los brazos de mi mujer y luego, tranquilamente, dice:

–Gracias, ya me ocupo yo.[2]

Este gesto de solidaridad vence la reserva del enfermero suizo hacia nosotros. Hemos dejado de ser simples «mirones» que han venido a tomarse un baño de miseria exótica antes de regresar a su confort de privilegiados. Cuando volvemos a verle nos acoge con una sonrisa amistosa. Ese día, un indio descarnado, cubierto con un *dhoti* de cuadros azules, y con un chal de algodón en torno al cuello, se encuentra acuclillado rezando en su habitación ante la imagen del Santo Sudario de Turín, que decora una de las paredes. Es Krishna, el vecino más próximo de Gaston, un antiguo marinero originario del sur. En el curso de una escala recaló en este barrio de chabolas. Aunque es hindú,

2. Dado que el teléfono del dispensario estaba averiado, hasta nuestro regreso a Francia no supimos qué había sido de Sunil. Hasta varios meses más tarde, con ocasión de una nueva visita a Bengala, y mientras nos acogían en un pueblo a unos sesenta kilómetros de Calcuta, no conocimos el epílogo de nuestro intento de salvamento. De repente, vimos aparecer un *rickshaw* montado por un muchacho alto y atlético. Alguien nos dijo: «¡Es Sunil!» El joven saltó de la bicicleta y corrió a saludarnos. Su padre y su madre corrieron a su vez. Estábamos abrumados. Por primera vez en mi vida, tuve la sensación de haber contribuido directamente a salvar una vida humana.

viene regularmente a recogerse ante el rostro de este Cristo flagelado que expresa tan bien el sufrimiento de los habitantes de este barrio. «*Ram... Ram...* (Dios, Dios)», dice incansablemente entre los ataques de una tos cavernosa que sacuden su frágil constitución. Ocupa la habitación vecina con su mujer y sus cinco hijos. Se encuentra en el último estadio de la tuberculosis. Por tres veces, Gaston se lo ha llevado al hogar para moribundos de la Madre Teresa. Y por tres veces ha salido de aquella antesala, con las suficientes fuerzas como para volver a casa a pie.

Convencido de la sinceridad de nuestros sentimientos por la India, y de mi voluntad real de dar testimonio de nuestro agradecimiento ayudando a los más desfavorecidos, el enfermero suizo acepta guiarnos a través de su reino de miseria. Un reino que es un auténtico pudridero. Un hormiguero de locura, más bien. Por todas partes, ante cada casucha, cada tenderete, en una sucesión de pequeños talleres, hay gente que se dedica a vender, comerciar, fabricar, reparar, limpiar, clavar, pegar, perforar, llevar, tirar, empujar. En un lado hay niños cortando láminas de latón para elaborar utensilios de cocina; en otro, adolescentes que confeccionan petardos, envenenándose lentamente a fuerza de manipular sustancias tóxicas. En el fondo de un tugurio sin luz, unos hombres laminan, sueldan, ajustan piezas de hierro forjado entre olores de aceite quemado y de metal calentado al rojo. Al lado, en un cobertizo sin ventana, una decena de ancianos sentados con las piernas cruzadas enrollan *bidis*, los minúsculos cigarrillos indios. «¡Casi todos son tuberculosos! –gruñe nuestro cicerone–. Ya no tienen fuerzas para maniobrar una prensa o tirar de un *rickshaw*, así que enrollan cigarrillos. Siempre que no se detengan ningún momento, logran producir hasta trescientos al día. Por cada mil *bidis* les dan algo más de un euro.»

Más lejos, cinco obreros están ensanchando con un pico la entrada del taller donde han construido una hélice de barco de al menos dos metros de envergadura. Desplazan el mastodonte y lo conducen hasta una carreta. Entonces, tres *coolies* se encogen para hacer esfuerzos desesperados por intentar que la carreta se empiece a mover. Las ruedas giran, ante el alivio del dueño del taller, que de este modo no tendrá que contratar a un cuarto *coolie* para entregar la mercancía.

Una vez más, mi amada India me colma con sus sorprendentes espectáculos. ¿Cuánto tiempo necesitaré para descubrir todos los lugares donde auténticos esclavos de todas las edades pasan sus vidas fabricando resortes, piezas de camiones, tornillos, depósitos de aviones e incluso engranajes para turbinas de una precisión superior a una décima parte de micrón? La visión de esta mano de obra me da vértigo, por su destreza, su inventiva y su maña inimaginables, mientras ensambla, reproduce, repara cualquier pieza, cualquier máquina.

–No hay nada que se tire –explica Gaston–. Aquí todo renace como por milagro.

Después de dos horas de exploración, estamos como borrachos. Este barrio de chabolas es un laboratorio de supervivencia. Volvemos al día siguiente, y varios días más, para hacer nuevos descubrimientos. Cada uno representa una ocasión para encontrar a seres luminosos, como Bandona, una hermosa enfermera del estado de Assam de veintidós años con los ojos oblicuos, que ha venido de los altiplanos del Himalaya para aliviar tanta desgracia, y a la que los habitantes del barrio denominan el Ángel de la Misericordia. O ese retrasado con el rostro de Cristo que se pasea desnudo administrando la bendición a los viandantes. O Margareta, vestida con su sari blanco de viuda, que acoge en su cuchitril a los huérfanos de sus vecinos a los que se ha llevado la enfermedad; o la pequeña Padmini que, con ocho años apenas, cada día se levanta al alba para contribuir a la supervivencia de su familia.

Una mañana, queriendo saber adónde va Padmini tan temprano, descubrimos que escala el terraplén de las vías del tren que bordean el barrio para rastrear entre los raíles los residuos de carbón caídos de las locomotoras durante la noche. Su madre vende este tesoro miserable para comprar el arroz que impedirá que sus niños se mueran de hambre. Como todas las niñas indias de su edad, Padmini se ocupa a continuación de las tareas domésticas. Va a buscar agua a la fuente, limpia los utensilios de cocina, así como la única estancia familiar, lava y despioja a sus hermanitos y hermanitas, remienda sus harapos. Entre todas las tareas, la más conmovedora es el masaje diario que administra al más pequeño de la familia. Padmini se sienta entonces junto a la calleja y se pone al niño sobre los muslos. Se humedece las palmas con unas gotas de aceite de mostaza y comienza a darle masaje. Sus manos, hábiles, flexibles, atentas, suben y bajan a lo largo del cuerpecillo enclenque. Trabajando una tras otra como si fueran olas, sus manos empiezan por los costados del bebé, cruzan el pecho y vuelven a subir hacia el hombro opuesto. Entre las miradas de la niña y del bebé se cruza algo así como una llama: se diría que se hablan con los ojos. A continuación, Padmini coloca a su hermanito sobre un costado, le estira los brazos y los masajea delicadamente. Luego le coge las manos, y las amasa con los pulgares. El vientre, las piernas, los talones, la planta de los pies, la cabeza, la nuca, el rostro, las aletas de la nariz, la espalda, las nalgas van siendo sucesivamente acariciados, vivificados por esos dedos flexibles y danzarines. Gracias, mi querida India. Lo que nos ofreces es un auténtico ritual, un himno a la vida, un espectáculo de ternura y de amor, cuya apoteosis es la sonrisa beatífica de esta niña que sabe ser mamá mucho antes de tener la edad de ser madre.

Un día, otro joven protegido de Gaston nos lleva hasta el escenario de sus hazañas cotidianas: el vertedero de Calcuta. Nissar es trapero. Bajo un sol abrasador, entre un hedor inaguantable, este niño de nueve años, que nunca ha ido a la escuela, hurga con las manos desnudas, junto a varias decenas de niños y niñas, en los montones de basuras que traen hasta aquí unos camiones amarillos del municipio, con la esperanza de encontrar desechos susceptibles de venderse. Nissar y sus compañeros no dudan en trepar sobre las basuras para deslizarse tras las palas de los buldócers, a fin de ser los primeros en explorar el maná que vierten. Cada uno tiene su especialidad. Nissar recoge trozos de plástico, otros hacen lo propio con vidrio, madera, papel, metal, trapos, viejos tubos de pasta dentífrica, pilas gastadas, goma. Al final del día llevan los cestos a los revendedores instalados en el vertedero, que les compran su mísera cosecha por unas pocas rupias.

Entre todos los que saludan alegremente a Gaston mientras vamos caminando, el más elocuente es un gnomo con perilla. Apodado Gunga *el Mudo*, es un ser desbordante de vitalidad y de alegría. Llegó al barrio de chabolas tras una terrible inundación en la que estuvo a punto de ahogarse. Nadie sabe de dónde viene, pero, aquí, a Gunga no se le abandona. Cada noche, una familia le ofrece un plato de arroz, y le procura un rincón en el que puede dormir bajo techo. Gunga se hace amigo nuestro en seguida. Sus gritos de gozo cuando nos ve nos unen cada día más a la desgarradora humanidad de este barrio.

Con ocasión de mis visitas cotidianas a este infierno, me topo con más coraje, más generosidad, más sonrisas, y finalmente tal vez más felicidad que en nuestro rico Occidente. Gaston nos cuenta que, un tiempo después de llegar aquí, unos vecinos fueron a verle:

–Hermano –declaró uno de ellos–, nos gustaría reflexionar contigo sobre la posibilidad de hacer algo útil por nuestros hermanos del barrio.

¿Algo útil? En este lugar donde reinan la tuberculosis, la lepra, la disentería; donde todas las enfermedades carenciales reducen la esperanza de vida a uno de los niveles más bajos del mundo, todo estaba por hacer. Se necesitaba un dispensario y una leprosería. Era preciso distribuir leche a los niños raquíticos, instalar fuentes de agua potable, multiplicar las letrinas, expulsar a las vacas y a las búfalas, propagadoras de la tuberculosis...

–Os sugiero que preguntéis a la gente del barrio, a fin de saber qué desean prioritariamente –les contestó el enfermero suizo.

Los resultados llegaron tres días más tarde. Lo que querían en primer lugar los habitantes del barrio no era una mejora de sus condiciones de vida. Estaban hambrientos de otra comida, la espiritual. Lo que deseaban sobre todo era una escuela de noche para que los niños que trabajaban todo el día en los talleres y en los *tea shops* aprendieran a leer y a escribir.

Gaston invitó a las familias interesadas a que buscaran un local que pudiera servirles de aula. Propuso dedicar la donación que le habían hecho unos amigos que habían acudido a visitarle para remunerar a dos maestros. Sin duda era la única escuela de este tipo que existía en el mundo. Era demasiado exigua para acoger a más de veinte niños a la vez, y permanecía abierta desde el atardecer hasta el alba.

Las peripecias de esta escuela me llegan tan adentro que en seguida ofrecemos a Gaston los medios para ampliarla, con el deseo de que pueda abrir otras más.

Como recompensa, el suizo me invita a sumergirme todavía más en las realidades de su barrio. Todo comienza con una cena en el restaurante «de lujo» de la esquina, una tabernucha llena de humo ocupada por una decena de obreros y de *coolies*. Un ventilador medio averiado remueve un aire tórrido cargado de aromas de fritanga. Señoreando sobre un taburete de madera en un extremo de la sala, el barrigudo dueño, con camiseta de tirantes, remueve el contenido de una enorme palangana donde se cuece el plato del día, un guiso de piel de búfalo.

–Por una rupia, ahí tienes todas las proteínas del mundo –comenta el suizo, quemándose los dedos para confeccionar una bolita lo más consistente posible.

Es difícil saber con precisión lo que comemos, pero Gaston no repara en elogios acerca de las virtudes de esta gelatina picante que me abrasa el paladar y la garganta.

Gaston me lleva a continuación a través del barrio hasta la habitación donde vive. Es un paseo triunfal. Mujeres y niños se precipitan para saludar con un alegre *Namaskar, Dada!* al Hermano Mayor de Occidente que comparte su vida. Esa frágil silueta de piel blanca, pies desnudos enfundados en sandalias de tres rupias, con la cintura apretada por un paño de algodón, es el brujo que los puede calmar, aliviar, curar. Muchos se contentan con tocar su vestido.

La habitación de Gaston luce como en un día de fiesta. En honor a mi llegada, Nirmala, la hija mayor del hindú Krishna, el vecino tuberculoso, ha dibujado con tiza, sobre el suelo de tierra, una gran flor de loto y ha decorado con una guirnalda de pétalos de jazmín el icono de una Virgen de la Ternura, posada sobre el pequeño oratorio. También ha encendido una vela al lado de los Evangelios, que están abiertos. Esta atención es habitual. En ninguna parte observaré tanto respeto por las manifestaciones de Dios como en los lugares míseros en los que, sin embargo, Dios parece haber olvidado a sus hijos. Aquí, todo aparece empapado de una sorprendente espiritualidad. Observo que a cada llamada que el muecín lanza desde el minarete de la pequeña mezquita situada en el corazón del barrio, las mujeres recitan, desde el umbral de sus hogares, suras del Corán. En todas partes, en las callejas y en los patios interiores, se oye salmodiar los *om... om... om...* hindúes, esas invocaciones místicas que permiten entrar en contacto con Dios, y que al mismo tiempo aportan paz interior. El propio Gaston me revela que regularmente pronuncia estos *om*, acompañándolos de vez en cuando del nombre de Jesús. «Para mí es una manera de unirme a la plegaria de los pobres, que continuamente se acercan a Dios y viven en él», me explica.

Gaston no tiene cama. Duerme sobre una estera que cada noche desenrolla sobre el suelo de tierra. Conserva algunas posesiones –un poco de ropa, su brocha y su navaja de afeitar, la Biblia de Jerusalén–, en una caja de hojalata en la que las cucarachas han logrado penetrar. En verano, las riadas que provoca el monzón hacen desbordar las letrinas y las cloacas, que sumergen al barrio en un lago de excrementos, y obligan a refugiarse sobre un andamiaje de tablones dispuestos sobre ladrillos. Como no existe ventana, hay que dejar la puerta abierta permanentemente. Durante nueve meses del año, la temperatura en la pieza supera los cuarenta grados centígrados, con un índice de humedad que puede alcanzar el cien por cien.

He tenido suerte: estamos en invierno. Un invierno que Gaston y los otros habitantes consideran glacial: de noche, el termómetro baja, al parecer, hasta los diez grados. Una temperatura polar para esta población de pies descalzos, sin vestidos cálidos, que duerme en el suelo en casas húmedas. En la esquina de las callejas, hay vecinos que queman desperdicios para intentar calentarse. Pero lo peor es la contaminación que la capa de aire frío hace que se cierna sobre el *slum.*[3] El espeso humo que desprenden los trozos de excrementos de vaca que sirven de combustible encierra el barrio en un velo acre que quema los ojos y las gargantas. Lo cual permite percibir un ruido dominante, el de los ataques de tos que desgarran los pulmones. Es impresionante.

Gaston me invita a sentarme directamente en el suelo.

Nos llegan voces masculinas de la habitación contigua. Intrigado, decido ir a ver. Sentadas en corro, cuatro personas vestidas con saris de mucho colorido juegan a los naipes a la luz de una lámpara de petróleo. Sus rostros están maquillados con un polvo de color escarlata y, al menor gesto, sus brazos tintinean con el ruidito de innumerables brazaletes.

–No tenías ni idea de que pasarías la noche en compañía de eunucos –comenta Gaston con malicia.

Pienso en los eunucos que me encontré en el tren de Delhi a Calcuta.

–¿Eunucos aquí?

–¿Por qué no? Ni siquiera en tu extravagante paraíso de Saint-Tropez has tenido esta suerte.

–¿Por qué «esta suerte»?

–Porque los *hijra* –que es el nombre que se les da– desempeñan un papel muy importante en la vida de este barrio. Los hindúes les atribuyen poderes purificadores, entre otros el de borrar en los recién nacidos

3. Barrio de chabolas.

las faltas acumuladas en sus encarnaciones anteriores. Las familias nunca dejan de apelar a sus servicios cuando nace un niño. Y cada vez les tienen que pagar una pequeña fortuna.

Mi presencia ha atraído la curiosidad de estos insólitos vecinos. Uno de ellos, una belleza escultural, con los ojos maquillados con *khol*, vestida con un sari de color malva, se ha levantado para llevar a Gaston unos bastoncillos de incienso encendidos que coloca delante del icono de la Virgen. Un olor suave, algo empalagoso, se difunde por la habitación. Mediante este gesto, los eunucos han rendido homenaje al hombre santo que comparte su existencia.

Con la cabeza y los hombros envueltos en un chal de lana marrón, los ojos cerrados y el rostro orientado hacia la imagen de Cristo que hay en la pared, voluntariamente sordo a los ruidos del mundo, Gaston me ofrece entonces que me una a su oración de gracias «por la alegría que nos ha brindado el hecho de encontrarnos».

–Jesús, gracias por acoger a Dominique en este lugar de miseria donde los niños sufren –comienza en voz baja–. Gracias por hacer que desee contar lo que habrá visto y sentido en medio de todos los inocentes martirizados de este barrio de chabolas que, cada día, conmemoran aquí tu sacrificio en la cruz. –En este momento de la invocación, una enorme rata de cola desmesurada hace su aparición en el rincón del pequeño oratorio, justo delante de los bastoncillos de incienso que ha traído el eunuco. La tranquilidad del roedor me sorprende. Se diría que ha venido para participar en la plegaria. Gaston, que ni siquiera se ha dado cuenta de su presencia, prosigue–: Jesús de este barrio de chabolas, tú, que eres la voz de los hombres sin voz; tú, que sufres a través de ellos, permítenos decirte esta noche, a Dominique y a mí, junto con todos los que nos rodean, que te amamos.

Son las doce de la noche. Las palabras y las peleas de los vecinos se han calmado, así como la mayor parte de los llantos de los niños, los ataques de tos, los ladridos de los perros, los silbidos de las locomotoras. Un silencio frágil envuelve de golpe todo el *slum* dormido. Embotados por la fatiga y la emoción, Gaston y yo también sentimos la necesidad de dormir. Doblo mi camisa y mis vaqueros a guisa de almohada y me acuesto en la esterilla que mi anfitrión ha pedido prestada para que me proteja de la humedad del suelo. Constato que su habitación mide exactamente mi tamaño, un metro ochenta y dos de longitud. Tras una última mirada hacia la imagen del Santo Sudario, Gaston sopla en la vela y me lanza un *good night, brother!*, con el tono de un veterano que se dirige a un joven recluta que pasa su primera noche en una trinchera en el frente.

Que me llame *«brother»* me conmueve doblemente. En primer lugar porque viene de alguien que ha convertido la fraternidad en su ideal de vida. Luego, por la solidaridad que expresa para la aventura de esta noche que comienza. Ya que esta noche será, verdaderamente, una aventura. Había dormido ya en lugares extraños, o incluso peligrosos –al aire libre en una jungla africana llena de leones y elefantes, en un arrozal en Corea, frente a las ametralladoras chinas, en océanos desencadenados–, pero nunca en el gulag de sufrimiento de un barrio de chabolas del Tercer Mundo. ¿Tengo derecho a compartir el sueño de estas personas condenadas a vivir aquí hasta su último día, yo, que al día siguiente pasaré la noche en la confortable casa de un barrio residencial? De repente, mi experiencia adquiere tintes algo indecentes.

Un incidente pone fin a mis debates interiores. Mientras Gaston ya duerme, un jaleo endiablado estalla sobre nuestras cabezas. Rasco una cerilla y descubro que un grupo de ratas se persiguen sobre los bambúes que sirven de vigas y descienden a lo largo de los muros emitiendo gritos penetrantes. Enciendo una vela, me pongo de pie y, a pesar de mi deseo de no alterar el sueño de mi compañero, me pongo a perseguir a las intrusas a golpes de zapato. A medida que unas se escapan, llegan otras por los agujeros del tejado. ¿Qué puedo hacer ante tal invasión? Termino renunciando. Por repugnante que sea, esta convivencia forma parte del orden de las cosas que impera aquí. No soy más que un visitante: no tengo derecho a sublevarme. Me vuelvo a acostar. Gaston sigue durmiendo como un bendito.

Casi inmediatamente siento que algo se mueve levemente en mi cabello. Vuelvo a encender una cerilla, sacudo la cabeza y veo como cae un enorme ciempiés totalmente peludo. Aunque soy un ferviente admirador del Mahatma Gandhi y de sus principios de no violencia, lo aplasto sin piedad. Al día siguiente me enteraré de la naturaleza de este bicho: una escolopendra, un animal de veintiún pares de patas cuya picada puede ser tan venenosa como la de un escorpión. Me vuelvo a acostar por segunda vez. Con la esperanza de encontrar un poco de serenidad, recito interiormente un rosario de *om... om...* Pero parece que el barrio me va a ofrecer más sorpresas. Además de los mosquitos, que tienen la particularidad de hacer poco ruido y burlarse de mí indefinidamente antes de picarme, siento un curioso cosquilleo en las piernas. Una tercera cerilla revela que se trata de una invasión de cucarachas. Las hay por todas partes, en las paredes, en las vigas, en torno al icono de la Virgen, en las páginas de los Evangelios, en la ropa que me sirve de almohada. Las sacudo, caen incluso de mis bolsillos. ¿Qué puedo hacer? Vuelvo a encender la vela, dispuesto a matar unas cuantas a base de pisotones. Pero ¿para qué? Siguen llegando más y más. Me vuelvo a acostar. A la luz vacilante, casi fantasmagórica de la llama, vislumbro, sobre una viga de bambú, un espectáculo digno de las mejores carreras hípicas. Un lagarto está persiguiendo a una enorme cucaracha que huye a toda velocidad. Animo al lagarto con toda mi alma. Cuando está a punto de caer atrapado, el insecto comete una imprudencia fatal. Se refugia bajo el vientre de una gran tarántula cuyo cuerpo velloso constituye un magnífico escudo. Feliz al ver como se le ofrece esta presa inesperada, la araña atrapa al intruso entre sus patas y le planta en el cuerpo los dos garfios que arman su abdomen. Luego lo absorbe como si fuera un huevo. Unos minutos más tarde, el caparazón de la cucaracha me cae encima. Por la mañana veo por el suelo varias cucarachas vaciadas de sus entrañas.

Estas distracciones nocturnas me han agotado y termino adormeciéndome. No es más que una corta tregua. Hacia la una de la mañana me despiertan los gemidos procedentes de una de las habitaciones que dan al patio interior. Pronto, su ritmo se acelera y oigo estertores. Gaston también se despierta.

–Es Sabia –suspira–, el hijo de la musulmana de enfrente. El pobrecillo se está muriendo de una tuberculosis ósea, entre atroces dolores. Lo he intentado todo para salvarlo... todo.

Su relato me causa dolor, y anima la rebelión que me inspiran esos lamentos. Me he dejado enredar por esas sonrisas engañosas, que me han convencido de que esta gente ha aprendido a superar su desgracia con serenidad. Los estertores de Sabia me abren los ojos: este barrio es una concentración de condenados. ¿Cómo aceptar la aparente resignación que luce Gaston? Se lo pregunto con vehemencia.

–Explícame cómo tú, un creyente, aceptas que Dios permita la agonía de ese inocente en un lugar que ya está abrumado por tantos sufrimientos.

Gaston permanece un largo rato escuchando los gemidos.

–Por desgracia, no tengo una respuesta satisfactoria que darte –termina diciéndome–. Yo mismo he sido cobarde ante el sufrimiento de este niño. Al principio, para no oír los estertores, me tapé los oídos. Como Job, estaba al borde de la cólera. Pero en las Escrituras no he encontrado la explicación de por qué Dios puede permitir esto. ¿Cómo decirle a este niño que se retuerce de dolor: «Bienaventurado eres tú, pobre niño, porque tuyo es el reino de Dios. Bienaventurado eres tú, que lloras hoy, porque mañana reirás. Bienaventurado eres tú, que tienes hambre, porque serás saciado.» Es imposible.

–¿Eso es todo lo que dice Jesús a los hombres que sufren? –le pregunto.

–Realmente, Jesús ha dicho pocas cosas a los hombres que sufren –reconoce Gaston.

También admite que necesitó varias noches para soportar los gritos de Sabia. Y varias noches más para oírlos ya no con los oídos, sino con el corazón. Entre su fe de cristiano y su rebelión como hombre, se sentía desgarrado. «¿Tengo derecho a ser feliz, a cantar alabanzas a Dios, mientras a mi lado prosigue este suplicio intolerable?», se preguntó. A falta de poder comunicar su dilema a alguien, recurre a la plegaria. Cada noche, cuando el hijo de su vecina comienza a gemir, intenta provocar un vacío en sí mismo y se pone a rezar. Un día en que ya no aguanta más, se va a comprar una dosis de morfina al hospital de Howrah. «Ya que su mal es incurable, y que mi plegaria ha fracasado, Sabia al menos debe poder terminar su vida sin sufrir.»

La enfermedad de su vecino remite durante unas semanas. Su madre, que gana algunas rupias confeccionando bolsas de papel con periódicos viejos, repite que Dios ha salvado a su hijo.

–Yo no me atrevía a creer en un milagro –me confiesa Gaston.

Por desgracia, tenía razón. La agonía volvió a empezar hace tres noches.

Los gemidos han cesado: Sabia ha debido de dormirse. El frágil silencio del patio no dura más que unos instantes. De repente, una música atronadora brota de un transistor, en una habitación cercana. Miro el reloj: son las cuatro de la mañana. El follón cubre el ruido de los ataques de tos, que vuelven a empezar. Al otro lado del patio un gallo se pone a cantar, y luego hay ruidos de cubos y griterío de niños. El patio se despierta.

Con una lata de conservas llena de agua en la mano, la gente se dirige hacia las dos fosas-retretes del barrio. Pero regresan muy pronto. Desde la víspera, las letrinas se desbordan y al andar chapotean sobre la mierda. Los poceros municipales están en huelga desde hace un mes. El único recurso de quienes no quieren alejarse demasiado es el de aliviarse en la cloaca al aire libre que corre a lo largo de las viviendas.

Gaston recurre a las letrinas recientemente instaladas a tres callejuelas de su patio. Estos equipamientos están coronados por un tejadillo, lo cual garantiza una relativa intimidad. A las cuatro y media de la mañana, el acceso está bloqueado ya por varias decenas de personas. Todo el mundo saluda alegremente al *Dada* con su crucifijo en forma de aspa en el pecho, pero la llegada de otro *sahib* en vaqueros y zapatillas deportivas suscita una viva curiosidad, entre otras cosas porque, en mi ignorancia de las costumbres del país, he cometido una torpeza contra la cual mi compañero se ha olvidado de avisarme: me he traído unas cuantas hojas de papel higiénico.

–Para estos indios eres un bárbaro –me explica Gaston, encantado por el hecho de enseñarme nuevos modales–. ¿Cómo no iban a extrañarse de que quieras recoger en un papel un desecho expulsado de tu cuerpo para dejarlo a continuación a los demás?

Mostrándome la lata de conservas llena de agua que lleva en la mano, un niño intenta hacerme comprender que tengo que proceder a una ablución íntima y luego a limpiar el retrete con el resto del agua. Constato que, en efecto, cada persona lleva una lata parecida. Algunos poseen incluso varias, que empujan con el pie a medida que la hilera avanza.

–Hacen cola para otros –me indica Gaston–. Es uno de los mil trapicheos del *slum*.

Un hombre con la cabeza envuelta en un chal recorre la fila como una flecha, con su lata en la mano. Parece estar realmente en apuros. Todos se apartan para dejarle pasar. Las crisis de disentería son frecuentes, y sus manifestaciones urgentes y sin merced. Yo soy objeto de un salvoconducto inesperado cuando un muchacho se planta frente a mí y me hace signos para que vaya directamente hasta la garita sin esperar a que llegue mi turno. Me sorprendo por este favor. Gaston pregunta al niño, que en seguida señala mi muñeca con su dedo: «*Dada* –contesta–, tienes reloj, así que seguro que tienes prisa.» Tengo que atravesar un auténtico lago de excrementos antes de llegar al retrete. El hedor me ataca la garganta. Me parece sublime que la gente conserve su buen humor en medio de tanta abyección. Bromean, ríen. Sobre todo los niños aportan su frescor y la alegría de sus juegos a esta cloaca. Después de las peripecias de la noche, este grupito termina de dejarme K.O.

Sin embargo, esta primera experiencia que comparto sobre el terreno no ha terminado. Llega la hora del aseo. Estas personas que han pasado la noche hacinadas en grupos de diez o doce en un reducto infestado de ratas y de parásitos, renacen a la luz como si fuera la primera mañana del mundo.

Las mujeres logran lavarse enteramente sin desvelar ni una parcela de su desnudez. Desde sus largos cabellos hasta la planta de los pies, no olvidan nada, ni siquiera su sari. Se toman todo el tiempo y el esmero en untar con aceites, pintar y trenzar sus cabellos, antes de clavar en ellos una flor fresca, que han encontrado Dios sabe dónde. Los niños se frotan los dientes con bastoncillos de margosa recubiertos de ceniza, los viejos se limpian la boca con hilo de yuta, las madres despiojan a sus hijos antes de enjabonar vigorosamente sus cuerpecillos desnudos, pese al frío punzante de esta mañana de invierno.

Decidido a dejar que yo descubra solo todas las sutilezas de estas tradiciones, Gaston no me ha contado nada de los ritos de un aseo a la india. Tal como he visto hacer a los hombres, me desnudo, hasta que me quedo sólo en calzoncillos. Cojo el recipiente lleno de agua y un poco de jabón de fabricación local que me ha prestado Gaston, es decir, una bolita de arcilla y de ceniza mezcladas, y me acuclillo en la calleja sobre mis talones, en esa posición típicamente india tan difícil de mantener para un occidental. Me quito los zapatos manchados de excrementos, vierto un poco de agua sobre los pies y comienzo a frotarme vigorosamente los dedos, y entonces el viejo hindú que regenta el *tea shop* de enfrente se dirige a mí, horrorizado.

–*Brother*, ¡no tienes que lavarte así! Debes comenzar por la cabeza. Los pies los dejas para el final, cuando ya has lavado todo el cuerpo.

Estoy a punto de balbucear cualquier excusa cuando aparece una niña. Reconozco a mi amiga, la exquisita Padmini, la que se levanta todas las mañanas a las cuatro para ir a buscar pedazos de carbón a lo largo de las vías del tren. El espectáculo de este *sahib* medio desnudo que se rocía con agua la divierte tanto que se parte de risa.

–¿Por qué frotas tan fuerte, *Dada*? ¡Si ya estás muy blanco!

Gaston acepta que lo acompañe en su gira matinal. Primera visita: el joven Sabia, cuyos gemidos me han acompañado toda la noche. Su madre nos acoge con una bonita sonrisa. Envía a su hija mayor a buscar dos cuencos de té a casa del viejo hindú de la callejuela y nos invita a penetrar bajo su techo. Un olor a carne pútrida me hace dudar unos segundos bajo el umbral. Luego me sumerjo en la penumbra.

El pequeño musulmán yace sobre un colchón de harapos, con los brazos en cruz, la piel llena de úlceras cubiertas de moscas, las rodillas medio dobladas sobre su torso descarnado. Gaston se acerca con una jeringuilla de morfina en la mano. El niño abre los ojos. Una chispa de alegría ilumina su mirada. Gaston se vuelve y me dirige una sonrisa abrumada. ¿Cómo puede brotar tanta felicidad de este ser martirizado?

–*Salam*, Sabia –murmura.

–¡*Aleikum Salam*, hermano! –responde el niño con voz débil–. ¿Qué llevas en la mano, caramelos?

Entramos en otro patio interior. Una madre presenta al *Dada* un bebé raquítico con el vientre hinchado. Tiene dos años pero no aparenta más de seis meses, es un pobre ser descarnado. «Cuarto grado de malnutrición», comenta Gaston. Desde su nacimiento sufre tales carencias que sus fontanelas no se han cerrado. Su cráneo, por falta de calcio, se ha deformado y su facies dolicocéfala es impresionante. Dado su grado de malnutrición, la mayor parte de sus células grises probablemente están destruidas.

–Aunque lleguemos a salvarlo –murmura el enfermero suizo, extrayendo de su zurrón un pequeño sobre de harina vitaminada–, siempre será un deficiente cerebral.

Al enterarse de la presencia del *Dada*, una niña corre llevando a su hermanita a caballo sobre su cadera. La niña ha sido víctima de una meningitis que Gaston ha logrado curar, pero se ha quedado disminuida mentalmente. El padre, *coolie* en el Burra Bazar, el Gran Mercado, la madre, todos los hermanos y hermanas, rodean a la pequeña disminuida con tanto amor que Gaston nunca ha podido tomarla consigo para llevarla a un centro especializado. Es una niña fantástica. Gesticula, sonríe, balbucea. También ella es la vida, con «V» mayúscula.

Etapa siguiente: un pasadizo oscuro entre dos cuchitriles, cerca de la mezquita. Acuclillada sobre un *charpoy*, una mujer muy joven escupe desde lo hondo de sus pulmones en un cántaro con manchas de un color rojo oscuro. Sus ojos arden de fiebre. Respira con dificultad. Tuberculosis terminal. Cada mañana, Gaston acude para ponerle una inyección. Le habla.

La enferma responde, pero una tos cavernosa interrumpe el diálogo. Dos niños medio desnudos juegan a las canicas a los pies de su cama de cuerdas.

Dos callejas más adelante, Ashu, un niño de once años hecho un ovillo sobre un saco de yuta, espera la visita del Hermano Mayor. Su familia es demasiado pobre para pagar el alquiler de un cuchitril, y por ello ocupa una galería con el techo agujereado. Gaston ha salvado a Ashu de una meningitis tuberculosa. Estaba completamente paralizado. En tres años de tratamiento y de reeducación, el *Dada* le ha enseñado a mover de nuevo los brazos. Cada semana paga el transporte en *rickshaw* hasta un centro especializado cercano a la estación de Howrah. Sueña con que le puedan hacer un trasplante de cadera, ya que la tuberculosis le ha roído los huesos.

Como cada mañana, la peregrinación del apóstol suizo termina en una choza cerca de las vías del tren, la casa de una cristiana leprosa y ciega. La pobre mujer está tan delgada que el esqueleto se le marca bajo su piel apergaminada. Detrás de ella, colgado de un clavo en la pared de adobe, pende un crucifijo y, encima de la puerta, un nicho alberga una estatuilla de la Virgen, ennegrecida por el hollín. ¿Qué edad puede tener esta mujer? Cuarenta años como mucho. Un sexto sentido la ha advertido de la llegada de Gaston. En cuanto oye que se acerca, hace un esfuerzo para levantarse. Con lo que le queda de manos, alisa su cabellera, en un conmovedor gesto de coquetería. Luego prepara un lugar a su lado, golpeteando un almohadón de harapos para que se siente el Hermano Mayor. Es viuda de un empleado del ayuntamiento de Calcuta, y habla un poco de inglés. Sus cuatro nietos duermen en una esterilla desgastada, a los pies de su *charpoy*.

–*Good morning, Brother!* –exclama, radiante.

–*Good morning, Grandma!* –responde Gaston, descalzándose–. Hoy he venido a verla con mi amigo Dominique, un escritor francés.

–*Good morning, Brother Dominique!* –exclama en seguida esta mujer ciega.

Yo también la saludo. Nos hace señas para que nos sentemos cerca de ella. Tiende hacia Gaston sus brazos descarnados, acerca sus muñones a su rostro, los pasea por su cuello, sus mejillas, su frente. Parece como si intentara palpar la vida de ese rostro. Hay más amor en el roce de esta carne torturada que en todos los abrazos del mundo.

–*Brother*, me gustaría tanto que Nuestro Señor me viniera a buscar... –declara entonces–. ¿A qué espera para pedírselo?

–Si Nuestro Señor quiere que se quede entre nosotros, *Grandma*, es porque todavía la necesita aquí.

La leprosa junta sus muñones en un gesto de oración que no tiene nada de suplicante. Gaston le cuenta nuestra visita al joven Sabia.

–Dígale que rezaré por él.

–Le he traído el cuerpo de Cristo –anuncia entonces el enfermero, sacando de su bolsillo un paño que contiene una hostia consagrada.

La mujer entreabre los labios y Gaston deposita la hostia en la punta de su lengua, después de pronunciar las palabras de la Eucaristía.

–Amén –murmura ella.

Veo como fluyen las lágrimas en sus ojos vacíos. Su rostro se ha iluminado con un gozo intenso.

–*Thank you, Dada. Thank you, Dada* –repite.

Los cuatro cuerpecillos dormidos no se han movido. Cuando Gaston se levanta para irse, la leprosa eleva hacia él su rosario, en un gesto de ofrenda y de buenos deseos.

–Diga a todos aquellos que sufren que rezo por ellos.

Aquella noche, Gaston Grandjean anotará en su cuaderno: «Esta mujer sabe que su sufrimiento no es inútil. Afirmo que Dios quiere utilizar su sufrimiento para ayudar a otros a soportar el suyo.» Unas líneas más lejos, concluirá: «He aquí por qué mi plegaria ante esta desdichada ya no puede ser dolorosa. Su sufrimiento es el mismo que el de Cristo en la Cruz. Es positivo, redentor. Ella es la esperanza. Cada vez salgo revivificado del cuchitril de mi hermana, la leprosa ciega. Este barrio de chabolas merecería llamarse la Ciudad de la Alegría.»

❖

¡La Ciudad de la Alegría! Un nombre totalmente surrealista en un contexto de tamañas desdichas, pero tan fuerte que me impulsa a emprender la investigación más desgarradora de mi vida. Gracias, James; gracias, Gaston; gracias, mi querida India por este regalo que desembocará en uno de los libros de los que más orgulloso estoy. Incluso antes de escribir la primera palabra, sabía que se llamaría *La Ciudad de la Alegría*.

Desde luego, será una investigación larga, difícil y a veces dolorosa. Desde el principio, me obliga a adaptarme a situaciones que no he conocido nunca. Me hace descubrir cómo se pueden afrontar circunstancias inhumanas sonriendo; cómo se pueden llevar a cabo trabajos dignos de bestias con tan sólo unas bolitas de arroz en el vientre; estar limpio con menos de un litro de agua al día; encender un fuego en el diluvio de un monzón con una sola cerilla; crear una turbulencia de aire en torno al rostro mientras se duerme durante el tórrido verano. Antes de que me adopten los mártires de este barrio, debo familiarizarme con sus costumbres, comprender sus miedos y sus angustias, conocer sus luchas y sus esperanzas, iniciarme poco a poco en todas las riquezas de su cultura. Entretanto, descubro el auténtico sentido de ciertas palabras: coraje, amor, dignidad, compasión, fe, esperanza. Aprendo a agradecer a Dios la menor bendición, a escuchar a los demás, a no temer a la muerte, a no desesperar nunca. Ésta es, sin ninguna duda, una de las experiencias más enriquecedoras que puede vivir un hombre.

Mi vida cambiará, mi visión del mundo y el orden de mis valores se transformará. A partir de ahora intentaré no dar tanta importancia a problemas que son tales. Encontrar un lugar para aparcar el coche dejará definitivamente de ser una preocupación para mí. Convivir durante meses con gente que no dispone siquiera del equivalente a diez céntimos de euro al día para sobrevivir me permite descubrir el valor de la cosa más nimia. Ya no salgo nunca de una habitación de hotel sin apagar la luz, utilizo hasta el final un trocito de jabón, evito tirar a la basura lo que todavía puede servir o se puede reciclar.

Esta experiencia única también me permite descubrir la belleza de compartir. Durante dos años no me crucé con ningún mendigo en las callejas de la Ciudad de la Alegría. Entre todas las personas que encuentro, ninguna me tiende la mano, ninguna me pide la mínima ayuda. Al contrario, no hacen más que darme. Una de mis preocupaciones es, justamente, impedir que hombres y mujeres que carecen de todo sacrifiquen un último recurso para recibirnos, a mi mujer y a mí, según las costumbres de la generosa hospitalidad india. Mi intérprete me señala un día que una mujer a la que voy a entrevistar se ha quitado la anillita de oro que llevaba prendida en una aleta de su nariz. La ha empeñado a un usurero para comprar un poco de café, unas golosinas y unas galletas para nosotros. Para prevenir este tipo de sacrificios, mi imaginativa Dominique tiene una idea típicamente india. Cada vez que entramos en un patio interior, le pide a nuestro intérprete que diga a todo el mundo que no puedo aceptar nada para beber ni comer, porque es mi día de ayuno. Me asalta el temor de que se inquieten al ver que el Hermano Mayor se priva de alimento tan a menudo. Me equivoco. Debería haber pensado en el Mahatma Gandhi y en la mística del ayuno en la India. Incluso los hambrientos de un barrio de chabolas ofrecen cada semana un día de abstinencia voluntaria a los dioses.

En cambio, lo que no podemos hacer es regresar a Francia sin llevarnos en las maletas la montaña de regalos delicadamente envueltos que hemos recibido de nuestros hermanos y hermanas de la Ciudad de la Alegría. Dos grandes maletas suplementarias apenas pueden contener todos estos testimonios de amor y de generosidad.

Antes de coger el avión hacia París, llevo a Dominique a hacer una última inmersión en las entrañas del mayor desastre urbano del planeta. Un acontecimiento casi tan extraordinario como el primer paso del hombre sobre la Luna acontece en la víspera de nuestra partida: ¡la inauguración del metro de Calcuta! Una empresa titánica que, durante años, ha movilizado a ejércitos de *coolie*s que acampaban como hormigas en las lindes de las obras.

Me convierto en el Hermano Mayor de los niños de mi amada India

Agradecidos por mi ayuda, los padres me han puesto entre los brazos lo más preciado que tienen: su último hijo. Me he convertido en su *dada*, su Hermano Mayor. Este pequeñín, condenado a una infancia de esclavo en un taller-prisión, escapará a la fatalidad de su destino. En tratamiento desde los primeros meses de vida a causa de uno de los males que afligen a tantos niños de la India (disentería, carencias vitamínicas, tuberculosis, raquitismo, minusvalías psíquicas y físicas...) asistirá a una de las innumerables escuelas primarias que contribuiré a crear en los barrios de chabolas de Calcuta y en las pobrísimas zonas rurales de Bengala.

Encuentro con un benefactor

James Stevens era un próspero comerciante de camisas y corbatas londinense. Lo dejó todo para arrancar de la degradación de sus comunidades de parias a los niños víctimas de la lepra. Cuando mi mujer y yo conocimos a este ignorado benefactor de la humanidad, la falta de fondos estaba a punto de obligarlo a cerrar su centro Udayan, que significa «resurrección» en hindi. La ayuda al centro será el punto de partida de mi cruzada humanitaria.

Nuestra primera misión consistirá en la compra de tres hectáreas de terreno en pleno campo destinadas a la construcción de varios pabellones. Pronto acogerán a cerca de trescientos niños salvados de la lepra.

En el infierno de los barrios de chabolas

Desde 1972, el enfermero suizo Gaston Grandjean comparte la vida y la lucha de los desheredados de los barrios de chabolas de Calcuta. Del encuentro con este hombre excepcional nacerá mi voluntad de aliviar el sufrimiento de los más pobres.

Un día tendré la dicha de acompañar al Vaticano a este mensajero del Evangelio para presentárselo al papa Juan Pablo II. Los dos hombres tendrán un largo coloquio que concluirá con estas palabras del Santo Padre: «Hermano Gastón, me gustaría estar en tu lugar.»

Primera batalla contra la miseria: alimentar a los pequeños hambrientos

En el Hogar Resurrección, cada comida es una auténtica ceremonia. Arroz, pescado, pollo, curry, lentejas... cerca de mil calorías se sirven en platos hechos con hojas puestas a secar. Antes de empezar a comer, los niños dan gracias por esta dádiva mediante una oración que cantan profundamente concentrados.

La comida se desarrolla en un silencio impresionante. El espectáculo de todas estas criaturas ante un plato lleno es abrumador. Al menos cien millones de niños indios no tienen su misma suerte.

Una lucha sin respiro por la instrucción de los más pobres

Treinta años separan nuestra primera escuela y nuestras campañas de alfabetización en los pueblos de las escuelas modernas a las que asisten actualmente los niños del Hogar Resurrección.

Los talleres de informática cosechan un enorme éxito entre unos niños cuya única perspectiva era, hasta ayer, mendigar sobre las aceras de la estación de Calcuta. Los pequeños del centro dominan en seguida la técnica de los ordenadores: al terminar el curso, no tendrán ninguna dificultad para encontrar trabajo.

Salvar el Hogar Resurrección es mi primera victoria contra la fatalidad de la miseria

Trescientos niños de las colonias de leprosos de los suburbios de Calcuta son tratados, curados, instruidos y preparados para desempeñar un oficio en el Hogar Resurrección. Llevan todos los uniformes que han confeccionado sus compañeros aprendices de sastre. En la actualidad, las niñas constituyen el veinte por ciento de los pequeños acogidos en el centro.

En el campo deportivo del centro, niños y niñas forman un balón de fútbol con un lema que es una célebre frase del Mahatma Gandhi: «El mundo es mi pueblo.»

Niños arrancados a la maldición de la lepra de sus padres

Mi mujer, Dominique, abraza a la madre leprosa de un niño del Hogar Resurrección.

El pequeño Ashu, de seis años, presenta los primeros estigmas de la enfermedad. No se sustrae jamás a ningún niño al amor de sus padres. La enfermedad que ha mutilado a sus progenitores ha dejado de progresar pero los daños causados por el mal son irreversibles: el padre es ciego y la madre ha perdido cuatro dedos de una mano.

La alegría de los padres con el cuerpo devastado que abrazan a sus hijos en plena salud es una de las mayores victorias del Hogar Resurrección.

Un barrio de chabolas se convierte en mi desembarcadero en el corazón del infierno de Calcuta

En el barrio de chabolas que bautizaré como «la Ciudad de la Alegría» se hacinan más de setenta y cinco mil habitantes. El barrio está dividido en pequeños patios a los que dan una docena de habitaciones ocupadas por un centenar de personas. Se trata de la mayor concentración humana del planeta.

Para ayudar a sus familias a sobrevivir, los niños buscan en los vertederos municipales con la esperanza de encontrar algún desecho que vender. Cada niño tiene su especialidad en la recogida de basuras: madera, metal, plástico, cristal, papel, trapos, restos de comida.

Un recibimiento de estrella para el Hermano Mayor llegado de Occidente

En la Bengala de los desheredados abandonados por las autoridades oficiales, los habitantes, agradecidos, acogen con entusiasmo cada una de mis visitas. A bordo de una camioneta expresamente decorada, Mohamed Wohab y Sabitri Pal, los responsables de nuestras iniciativas humanitarias para combatir la tuberculosis nos conducen, a través de la multitud de simpatizantes, al gran centro de Bhangur.

Miles de personas que sufrían tuberculosis y se curaron gracias a los dispensarios que he creado se reunieron para dar las gracias a sus benefactores.

El coraje: el primer mensaje de mi querida India

Fueron los niños más desafortunados los que me hicieron descubrir valores como el coraje, el saber compartir, la esperanza. Esta niña que se cubre con un paraguas lleva cada noche a su casa las pocas rupias que evitarán que su familia muera de hambre.

Ir a por agua hasta la única fuente, que sirve para tres mil habitantes, es tarea exclusiva de los niños a partir de los cinco años. (Izquierda)

Desde los seis o siete años, a las niñas les corresponden todas las tareas domésticas. De la mañana a la noche se preparan, siempre sonrientes, para su futuro papel de ama de casa. Esta pequeña que lleva a su hermanito en brazos es ya una mamá antes incluso de haber tenido hijos. (Derecha)

Mi guerra sin cuartel contra el sufrimiento

Los comienzos: dotar de un equipo de rayos X una zona desheredada de Bengala y crear un dispensario para luchar contra la tuberculosis. Ligada a la pobreza y a la malnutrición, ésta es la enfermedad más extendida en las regiones más pobres.

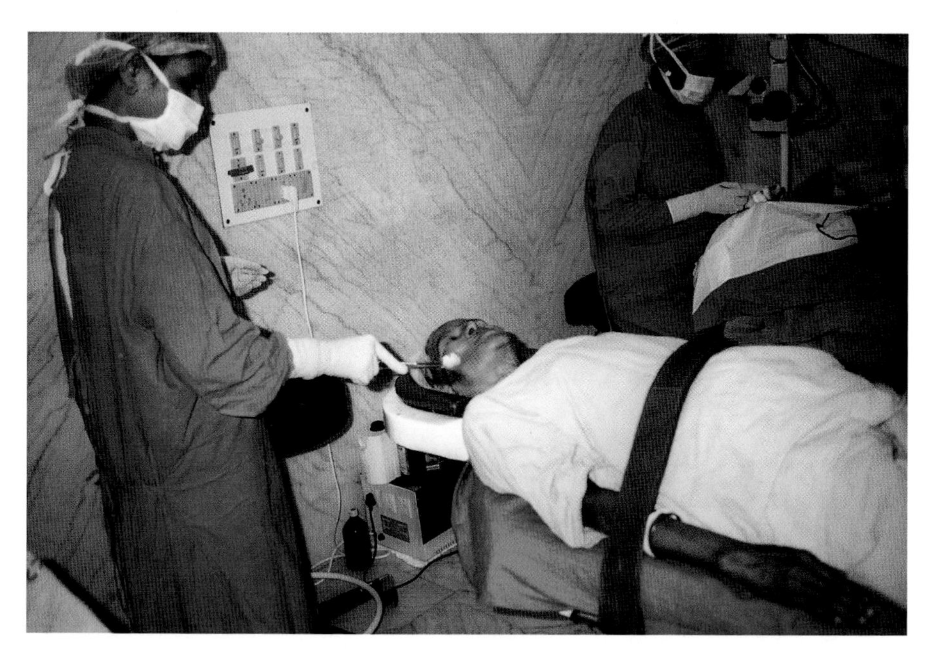

En el delta del Ganges, las cataratas no comportan necesariamente la ceguera. Quienes las sufren pueden hacerse operar en un centro especializado.

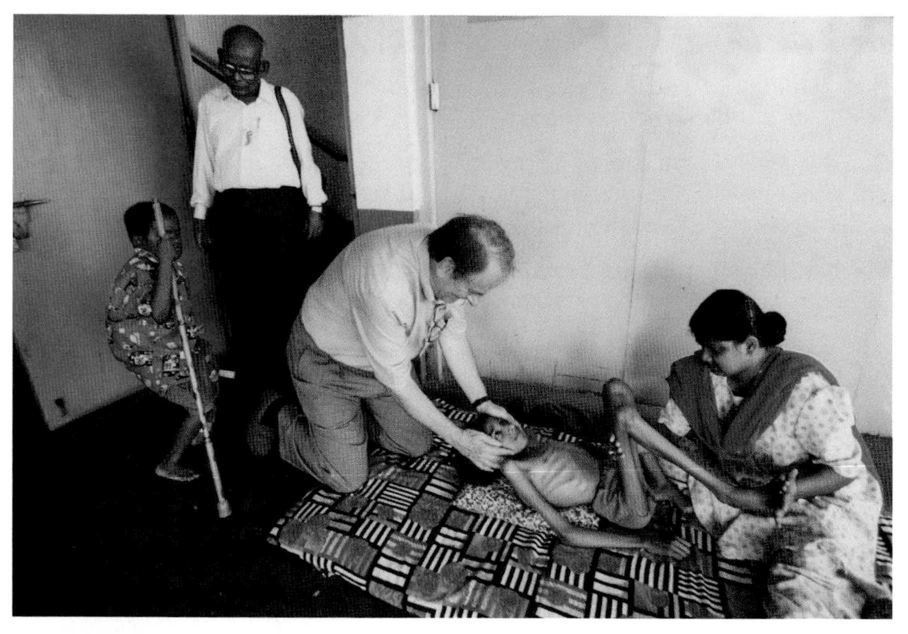

Sólo una fisioterapia adecuada puede combatir las graves minusvalías de la poliomielitis.

Cuatro barcos-dispensario para llevar asistencia médica a las poblaciones de las 54 islas del delta del Ganges

Para el millón de habitantes que vive aislado en el delta del Ganges, la llegada de uno de mis barcos-dispensario significa esperanza.

Con dos médicos, un equipo de rayos X, un laboratorio, una mesa de operaciones y una provisión de fármacos, cada embarcación puede hacer frente a los casos urgentes y trasladar a los más graves.

Muchas de las heridas las provocan los cocodrilos y los tigres que pueblan la selva de manglares adonde los campesinos van a recoger miel silvestre.

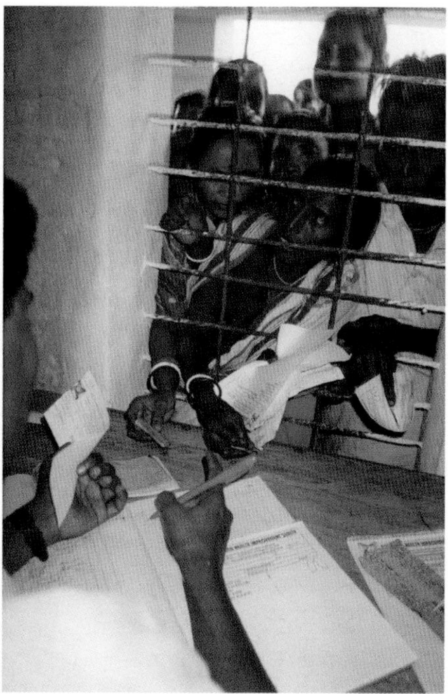

Apenas ve el barco, la gente corre al embarcadero.

Ayudando a los supervivientes de la tragedia de Bhopal

La noche del 2 de diciembre de 1984, la explosión de una fábrica de pesticidas en la ciudad de Bhopal mató a cerca de treinta mil personas e hirió a quinientas mil.

Muchas víctimas, casi todas muy pobres, nunca han sido curadas adecuadamente. Javier Moro y yo hemos explicado su calvario en nuestro libro *Era medianoche en Bhopal*. Con lo que hemos conseguido de los derechos de autor y con el apoyo de la Fundación Pro Victimis he creado una clínica ginecológica para las mujeres que, veinticinco años después de la catástrofe, han desarrollado tumores en el útero o en los ovarios, o traen al mundo niños con malformaciones.

Víctimas indignadas que siguen muriendo

En cada aniversario de la tragedia, los supervivientes se manifiestan contra la empresa norteamericana Union Carbide y su presidente, de quien queman imágenes. Apoyo enérgicamente a estas heroicas mujeres.

Mi libro ha impedido que en todo el mundo se construyeran otras cinco fábricas similares a la de Bhopal. Todos deberíamos gritar: «¡No queremos otro Bhopal!»

Dado que los residuos tóxicos de la explosión envenenaron las capas freáticas que alimentan los pozos, contribuyo al suministro de agua potable mediante camiones cisterna.

La gratitud de la India oficial hacia su Hermano Mayor

Cincuenta mil niños de Bengala escribieron a la presidenta de la India para pedirle que concediera a su Hermano Mayor Dominique el Padma Bhushan, el Ornamento del Loto, la máxima distinción civil india. El 5 de mayo de 2008, la señora Patil me hace entrega del prestigioso premio.

En Calcuta, el alcalde K. K. Basu nos confiere la ciudadanía honorífica a Dominique y a mí.

Pero lo que me hace más feliz aún que estos reconocimientos oficiales es el regalo de los niños de nuestro centro de rehabilitación de Kathila: un *rickshaw* y una campanilla, símbolos del coraje de los habitantes de Calcuta, que han rebautizado toda la ciudad como «Ciudad de la Alegría».

El conmovedor homenaje de los niños de mi amada India

«Salvar a un solo niño es como salvar al mundo», decía la Madre Teresa. Las manos unidas de este niño con una grave minusvalía, tratado y formado en uno de nuestros centros, encarna toda la gratitud de mi querida India por la infatigable cruzada de solidaridad y amor que mi mujer, Dominique, y yo hemos emprendido para aliviar el sufrimiento.

A veces corro el riesgo de asfixiarme bajo la pirámide de guirnaldas de flores que me ofrecen los enfermos curados. (Izquierda)

Cada nuevo encuentro con nuestros pequeños protegidos del centro de Belari es uno de los momentos más conmovedores de nuestras visitas. (Derecha)

Lo que descubrimos es un rostro insólito, difícilmente imaginable de Calcuta. Vías y andenes son de una limpieza asombrosa. Cada estación está decorada según un tema relacionado con su nombre. Así, la estación Tagore presenta en unos escaparates reproducciones de dibujos y de manuscritos del gran poeta, ese hijo de Calcuta que fue galardonado con el Premio Nobel de Literatura. Las decoraciones de la estación Maidan se inspiran en temas deportivos, ya que el Maidan es el extenso parque –pulmón de Calcuta– en el que los ingleses antaño celebraban los desfiles de sus tropas y donde hoy decenas de clubes acogen a los deportistas de la ciudad. La estación Park Street muestra en nichos reproducciones de algunas de las más bellas esculturas expuestas en el museo arqueológico vecino.

En los andenes, unos altavoces difunden música india a pleno volumen, entrecortada con recomendaciones en hindi: «¡No escupan! ¡No orinen! Hagan de su metro una joya de higiene y limpieza.» Como en toda la India, lo sagrado está presente. En cada estación, un pequeño altar honra a un dios sobre un trono decorado con pétalos de rosas y lámparas de aceite. En el interior de los vagones, bellamente pintados en azul y amarillo, unos carteles presentan bajo vidrios protectores obras originales de jóvenes artistas bengalíes. Todo viajero puede comprar una. Basta con llamar al número de teléfono que se indica.

Gracias, mi amada India, por haber ofrecido a tus

habitantes, tan a menudo abrumados por condiciones de vida inhumanas algo más que un metro: un ferrocarril subterráneo que también es un museo.

*

Al dejar Calcuta con una veintena de cuadernos llenos de notas, centenares de horas de entrevistas grabadas, dos mil fotos, sé que me llevo la más formidable documentación de toda mi carrera de escritor.

Necesito varios días para volverme a acostumbrar a la calma y a la dulzura del entorno paradisíaco de nuestra casa de Ramatuelle. Cada mañana, antes de comenzar a escribir, para ayudarme a evocar el hormiguero que acabo de abandonar, su ruido, sus olores, sus colores, me proyecto decenas de diapositivas, escucho cintas magnetofónicas de las azarosas vidas que he grabado. Hago sonar el cascabel que me dio mi amigo, Hasari Pal, el conductor del *rickshaw*. Esta voz de los últimos hombres-caballo del planeta simboliza para mí el heroísmo del pueblo de Calcuta. Este cascabel se convertirá en mi talismán. Nunca dejaré de llevarlo en el fondo de mi bolsillo cuando vaya de viaje.

Necesito más de un año para contar la epopeya de coraje y de supervivencia de los hombres, las mujeres y los niños de los barrios de chabolas de Calcuta. Mediante una cena india en un gran hotel de París, mi editor Robert Laffont decide celebrar la aparición de *La Ciudad de la Alegría*. De entrada, anuncio a los mil doscientos libreros e invitados que hemos decidido ofrecer el equivalente del precio de esta velada a los habitantes de la Ciudad de la Alegría, a fin de que ellos también puedan celebrar la publicación del relato de sus vidas. En la India, incluso en el fondo del barrio de chabolas más pobre, todos los acontecimientos felices se celebran, y éste lo es. Esta donación permitirá comprar treinta y cinco toneladas de arroz, es decir, medio kilo por habitante.

La Ciudad de la Alegría aparece a continuación en España, en Italia, en Holanda, en Gran Bretaña, en Estados Unidos y, finalmente, en otras treinta y una lenguas y ediciones, entre ellas tres versiones en braille para invidentes. En Estados Unidos, el libro recibe el Christopher Award, una distinción que premia obras que pongan de relieve virtudes humanas y espirituales, y cuya divisa reza: «Es mejor encender la llama de una vela que maldecir las tinieblas.»

Aunque estoy convencido de haber narrado una epopeya cautivadora, me sorprende realmente que este relato sobre la vida de los náufragos de una gran ciudad india ascienda tan de prisa al primer lugar de la lista de los libros más vendidos. Se venden nueve millones y medio de ejemplares. Todavía más sorprendente resulta el diluvio de correo que me llega de todos los países. Al final habré recibido más de doscientas mil cartas.

Numerosos mensajes vienen acompañados de un apoyo a nuestra acción humanitaria: cheques, transferencias bancarias y giros postales e incluso bonos del Tesoro. Un sobre llega un día con dos alianzas pegadas con cinta adhesiva a una hoja de papel. «Hemos llevado estos anillos durante treinta años de felicidad –explica un texto sin firmar–. Véndalos. Serán más útiles a los habitantes de la Ciudad de la Alegría que en nuestros dedos.» Este gesto da una ingeniosa idea a Dominique. En lugar de vender estas alianzas, las lleva a la India con otras pequeñas joyas de oro que hemos recibido. Un joyero local transforma el total de joyas en pendientes, brazaletes e incrustaciones para la nariz, al gusto bengalí. Gracias a estos humildes accesorios, podemos ofrecer una modesta dote a jóvenes muy pobres que Gaston conoce. Sin este óbolo, nunca se habrían podido casar.

El éxito del libro me permite responder inmediatamente a numerosas demandas urgentes de ayuda financiera. Un pequeño dispensario, creado en una zona particularmente desfavorecida del delta del Ganges por un antiguo terrorista musulmán convertido por Gaston y que ahora se dedica a la ayuda humanitaria, carecía de todo. Los centenares de tuberculosos esqueléticos que cada día lo asedian se vuelven a ir casi todos sin haber recibido ni cuidados, ni medicamentos, ni ayuda alimentaria. Y sin embargo, el gobierno indio ha proclamado «causa nacional prioritaria» la erradicación de la tuberculosis. Una serie de estudios epidemiológicos establecen que una tercera parte del país padece esta plaga, debida principalmente a la malnutrición y a la falta de higiene. En el campo, en el delta del Ganges, la proporción asciende a casi una de cada dos personas. La enfermedad afecta en primer lugar al padre de familia, y luego a sus hijos y a la madre. Como no existe ninguna infraestructura médica, la plaga es una ganga para curanderos, brujos, pseudofarmacéuticos locales que revenden pociones y medicamentos robados en los hospitales de Calcuta. Para comprar estos medicamentos, los pacientes tienen que hipotecar sus cosechas, luego venderse la vaca, los campos, las chozas, y finalmente arrastrarse a pie hacia Calcuta. Ningún hospital acepta recibirlos. Cuando la «fiebre roja» golpea, la muerte es segura, en un plazo más o menos breve.

El dispensario del antiguo revolucionario quería plantar cara a esta fatalidad. Pero necesita un médico a jornada completa, enfermeros, un laboratorio, un microscopio, un equipo de radiología, una reserva de antibióticos. Le hace falta un edificio sólido, que resista las agresiones del monzón, el ardiente sol, los robos de los ladrones para los que una simple caja de aspirinas representa todo un botín. Mis primeros derechos de autor y las donaciones de mis lectores me permiten satisfacer todas estas urgencias en unos pocos meses. Yo mismo negocio la compra del equipo radiológico con el representante de Siemens en Calcuta. La llegada de esta ultrasofisticada máquina en pleno campo provoca el estupor que habría causado un ovni que cayera del cielo. Para que pueda satisfacer su función, se necesita corriente eléctrica, en realidad mucha corriente. Dado que a esta zona rural todavía no llega este bien, reclamo la instalación de una línea prioritaria al ministro de Energía de Bengala. Mis esfuerzos se pierden en tal laberinto de obstáculos burocráticos que debo recurrir al arma utilizada por Gandhi contra los ingleses. Amenazo al ministro con una huelga de hambre ante la puerta de su despacho. Tres días más tarde, un escuadrón de obreros comienza a plantar los primeros postes y a extender los cables. En diez días, la línea está instalada. Pero todavía falta que las autoridades quieran alimentarla. Una nueva amenaza me permite obtener los primeros kilovatios. Una victoria que Wohab, el antiguo terrorista musulmán, y Sabitri, la joven hindú que administra el dispensario, deciden celebrar realizando allí mismo una primera radiografía. Esta maravillosa imagen muestra sus cuatro manos unidas por los puños, símbolo de la solidaridad interreligiosa, que convierten en el logo de su comité de ayuda. Al cabo de veintiséis años, se habrán examinado dieciséis millones de pacientes, y efectuado millares de radiografías. Más de setenta y cinco mil enfermos contagiosos se habrán curado y la tuberculosis habrá desaparecido de mil doscientos pueblos de la región. Se habrán distribuido centenares de toneladas de harina y otras mercancías de primera necesidad. Se habrán excavado más de quinientos pozos de agua potable y más de mil letrinas, por citar sólo unos pocos ejemplos.

Con ocasión de la inauguración de las nuevas instalaciones del dispensario, Wohab y Sabitri plantan una joven acacia en el patio. A sus pies ponen una placa que lleva su nombre. Lo han bautizado como *«Dominiques' tree»*, el árbol de los Dominiques. La acacia pasará a ser un familiar en nuestra vida. Regularmente nos enviará una postal: «Hermano Mayor y Hermana Mayor Dominique, me han regado muy bien –dice en una de ellas–. He crecido cuarenta centímetros de golpe. Pronto podré dar sombra a los enfermos. Volved los dos, en seguida. ¡Os echo de menos!»

Un sacerdote francés me solicita también ayuda financiera. Ha creado hogares en las afueras de Calcuta y en Jalpaiguri, a los pies del Himalaya, donde se hacen cargo de varios centenares de niños provenientes de familias muy pobres, afectados por serias minusvalías. Algunos de los niños que ha acogido, enfermos de poliomielitis o de tuberculosis ósea, nunca podrán caminar, tendrán que desplazarse sobre tablas con ruedas. Otros, afectados por el síndrome de Down, discapacitados motores, espásticos, retrasados mentales, nunca serán completamente autónomos. También hay sordomudos, ciegos, autistas. Estos niños necesitan la asistencia de un personal numeroso y experimentado, lo cual multiplica por dos los gastos de mantenimiento y educación. Porque el padre François Laborde no se contenta con recoger a estas víctimas de nacimiento o de accidentes de la vida, con vestirlas, alimentarlas, curarlas. También les ofrece una especie de renacimiento a una vida casi normal. Es preciso ver la infinita paciencia de su equipo de *didi*, vestidas con saris, que se entregan sin descanso a fin de volver a poner en movimiento las piernas y los brazos inertes de los pequeños minusválidos, despertar la inteligencia en niños disminuidos mentalmente, enseñar a bordar y hacer ganchillo a niñas ciegas, iniciar a la danza a niños sordos de nacimiento, para comprender la suma de amor y de esperanza que representan estos hogares. Inmediatamente me hago cargo de estos centenares de niños, así como de la construcción de una primera escuela. A lo largo de los veinticinco años siguientes enviaré el equivalente a más de dos millones y medio de euros a este religioso que se ha propuesto salvar a los niños deficientes de Calcuta.

Un día, Gaston nos presenta a un joven musulmán de veintiséis años que nació y creció en su barrio de chabolas. Mohammed Kamruddin ha consagrado su vida a socorrer las miserias de su barrio. De día trabaja de enfermero en un dispensario y, de noche, acude a las urgencias de las callejas y los patios interiores.

Este chico, que habla y escribe un inglés refinado, irradia una curiosidad y una cultura asombrosas para alguien que nunca ha tenido otro horizonte que las cloacas a cielo abierto y los rostros leprosos de su entorno. Gracias a una serie de libros de medicina que le ha procurado Gaston, ha logrado superar los exámenes necesarios para obtener el diploma de doctor en homeopatía. Su sueño es abrir un dispensario en un barrio todavía más pobre de la gran periferia de Calcuta. En su cabeza hierven otros proyectos. Todos ellos apuntan a las raíces mismas de la miseria y del subdesarrollo: Kamruddin quiere crear guarderías, escuelas primarias, centros de aprendizaje, bibliotecas, talleres de artesanía. Quiere organizar un sistema de préstamos de utensilios de cocina, de vajilla y de pabellones de tela para las fiestas de las bodas, excavar pozos y letrinas, construir cloacas. Quiere edificar todo un pueblo para alojar a las familias indígenas que viven en la calle o en infames chabolas devastadas cada verano por los monzones.

El joven médico musulmán hará realidad todos sus sueños. En veinte años le habremos enviado el equivalente de varios millones de euros a su asociación Hermanos y Hermanas Unidos. Construirá su aldea: cincuenta viviendas con fuentes y aseos, y dos grandes salas comunitarias destinadas a las ceremonias de las diferentes religiones, a reuniones educativas, a un taller de formación de costura y bordado para chicas y mujeres abandonadas o viudas. Creará incluso un hogar para jóvenes minusválidos. Este pueblo se sumará a los setecientos cincuenta mil con que cuenta el país. Kamruddin lo bautizará «The Dominique Lapierre City of Joy Village».

Otros seres luminosos, inspirados y formados por Gaston reciben también nuestra ayuda entusiasta. Sukeshi, una intrépida enfermera bengalí sin diploma oficial, sabe tanto como cualquier especialista de los hospitales de Calcuta. El dispensario que montó prácticamente ella sola en plena zona rural del sur del delta se ocupa de todas las aflicciones a cuarenta kilómetros a la redonda. Con un poco de alcohol, unas pinzas, un bisturí y unos pocos medicamentos, cura hasta quinientas personas al día. El espectáculo de estos desfiles patéticos de enfermos me perseguirá toda la vida. Las madres llevan a sus bebés cubiertos de forúnculos, abscesos, ántrax, alopecias parciales, sarna. Gastroenteritis y parásitos afectan a un niño de cada tres. Lo más insoportable es el espectáculo de los bebés raquíticos con el vientre hinchado. A los doce meses pesan menos de tres kilos. También están las urgencias: las mordeduras de perros rabiosos y de serpientes, los accidentes, las puñaladas, las quemaduras, los ataques de locura, los envenenamientos. Un día, una joven muestra a Sukeshi una marca muy evidente en su bonito rostro. El pinchazo de una aguja en la mancha no le provoca ninguna sensación, lo cual basta para que la enfermera le diagnostique lepra. Muchos pacientes vienen de muy lejos porque su única esperanza es que aquí se obre un milagro: cancerosos, enfermos del corazón, locos, ciegos, mudos, paralíticos, deformes. Por suerte, a veces hay ocasiones para sonreír. Un día, un enfermo se aproxima blandiendo una receta que tiene varios años, y en la que Sukeshi lee que, dado que sufre de un cáncer generalizado en fase terminal, debe tomarse seis aspirinas cada día. Otro exhibe, con veneración, una radiografía pulmonar que revela unas cavernas grandes como el puño y que data de hace unos veinte años. Sukeshi dedica su tiempo a escuchar, tranquilizando, reconfortando a cada uno con su cálida atención. Ella misma ha conocido la desgracia. Hija de pobres campesinos, fue abandonada, embarazada, por su marido, que se fue un día con la caja del dispensario y las pocas joyas de oro que constituían su modesta dote.

Gracias al éxito de *La Ciudad de la Alegría* y a la solidaridad de sus lectores, nuestra hermana india también podrá hacer realidad todos sus sueños. Podrá dar una oportunidad a centenares de niños intocables, edificando para ellos una escuela y repartiendo dos comidas cotidianas ricas en proteínas y vitaminas. Construirá un hogar para niños afectados de minusvalías motrices y mentales severas. Lanzará campañas de vacunación contra la viruela, el tétanos, la tuberculosis. Pronto, miles de niños que sufrían de desnutrición recibirán cada semana un complemento alimentario. Los más desfavorecidos, los más viejos, los inválidos, las viudas, en resumen, todos los desdichados de la zona encontrarán en ella un socorro financiero para comenzar una modesta actividad: abrir una tienda, crear una granja para criar pollos, montar un taller de artesanía.

A todas sus cualidades, la joven añade su habilidad en la cocina. Sus berenjenas fritas y su arroz con cardamomo quedarán en mi mente como recuerdos gastronómicos inolvidables de nuestras visitas.

Entre todos los centros a los que me apresuro a aportar el apoyo del dinero de mis derechos de autor, se halla evidentemente la institución que fue el detonante de nuestro compromiso humanitario. El Hogar Resurrección del británico James Stevens pronto se convierte en un pequeño campus. Se ha ampliado en varias hectáreas de tierra y cuatro *cottages* donde los niños descubren el agua corriente, los ventiladores que refrescan las sofocantes noches de verano, regalo de un comerciante de Calcuta. Gracias a varias hectáreas de terreno que podemos comprar, James hace realidad uno de los proyectos que más lo emocionan desde hace tiempo: lograr que el hogar y sus trescientos chicos y chicas sean cada vez más autosuficientes en arroz, verduras, frutas, pescado, huevos y aves de corral. Una victoria simbólica contra la ancestral maldición de la India: el hambre. Una victoria a la que ha podido añadir una educación puntera. El Hogar Resurrección está equipado hoy día con talleres de informática en los que los niños que ayer padecían lepra hoy aprenden a convertirse en ciudadanos del mañana de una India que, esperamos con toda el alma, un día brillará para todos.

Calcuta se convierte pronto en mi segunda patria. Un año después de que aparezca *La Ciudad de la Alegría*, nos espera allí una sorpresa mayúscula. El alcalde comunista, míster K. K. Basu, y los doscientos cincuenta miembros de su consejo municipal, nos ofrecen una magnífica recepción en la sala de fiestas de su viejo ayuntamiento, decorado con una inmensa banderola de bienvenida. En su discurso de acogida, el alcalde expresa «la gratitud de Calcuta» por la manera en que he revelado al mundo «las virtudes del coraje, de la vitalidad y de la esperanza de su población». Como agradecimiento, los elegidos de la gran metrópolis han decidido convertirnos, a mi mujer y a mí, en ciudadanos de honor de su ciudad. Entre los aplausos de la asamblea y entre las cámaras de televisión y los flashes de los fotógrafos, recibimos la medalla de oro de la ciudad. Muy emocionado, contesto que recibimos esta medalla en nombre de todos los héroes de esos barrios de chabolas, en nombre de todos los conductores de *rickshaws*, en nombre de todos los seres luminosos que hemos tenido la suerte de conocer en esta ciudad mágica. A ellos les pertenece antes que a nadie. La medalla honra a hombres, mujeres y niños que cada día muestran al mundo que «Si la adversidad es grande –como decía el gran poeta bengalí Tagore–, el hombre es mayor que la adversidad».

Este homenaje desencadena un huracán de aplausos. Pero la distinción más sorprendente que recibiré en ese día memorable es un documento que muestra el impacto que ha tenido mi libro en los administradores de la ciudad. El programa de desarrollo urbano de Calcuta que han elaborado se titula: «Calcuta –Ciudad de la Alegría– Proyectos para el Mañana.» Entre las primeras acciones previstas para mejorar las condiciones de vida de la población, figura la distribución cotidiana de diez litros de agua potable a cada uno de los tres millones de habitantes de los suburbios.

Esta denominación que yo tomé prestada de Gaston, la expresión «La Ciudad de la Alegría», para describir los valores ejemplares de uno de sus barrios más sórdidos, ahora toda la ciudad de Calcuta está a punto de adoptarla. Al salir del aeropuerto, unos carteles reciben a los visitantes con gigantescos «WELCOME TO THE CITY OF JOY». Los fabricantes de pintura compran páginas enteras de publicidad en los periódicos para anunciar que sus productos «pintarán la ciudad y la convertirán en una Ciudad de la Alegría». Una serie de ciudadanos descontentos interpelan a los políticos del consistorio a los gritos de: «¿Cuándo convertiréis nuestra ciudad en una auténtica Ciudad de la Alegría?» Incluso el gobierno marxista se apropia de la expresión para convertirla en un eslogan: «Venga a invertir su capital en la Ciudad de la Alegría», proclama su publicidad oficial, deseosa de borrar la deleznable reputación de la capital de Bengala en los medios internacionales de negocios. Por desgracia no existen derechos de autor para proteger la denominación de «La Ciudad de la Alegría». ¡Qué lástima! Los ingresos correspondientes me habrían permitido multiplicar hasta el infinito las acciones humanitarias que me solicitan sin cesar.

Una de estas acciones nos obsesiona especialmente desde hace años, a Gaston, a Dominique y a mí. Si hay un lugar del mundo desprovisto de cualquier socorro médico, un lugar en el que los habitantes son tan pobres que ni siquiera disponen de las pocas rupias que cuesta un billete de transbordador para ir a consultar a un médico o a un curandero en tierra firme, son las cincuenta y cuatro islas del golfo de Bengala, frente al delta del Ganges y del Brahmaputra. Estas islas, enormemente pobladas, siempre son las primeras víctimas de los ciclones que devastan periódicamente el nordeste de la India. La tierra, salina, sólo ofrece una única y mísera cosecha de arroz al año. Para impedir que las familias mueran de hambre, numerosos campesinos se ven obligados a ir a buscar miel silvestre al inmenso bosque de manglares de los Sunderbans que bordea sus islas, a lo largo de la frontera con Bangladesh. Esta zona, diariamente cubierta por la marea, está habitada por una especie de tigres particularmente peligrosos. Cada año, numerosas decenas de recolectores de miel silvestre, como el padre de la joven Shanta, a la que conocimos en la Ciudad de la Alegría, perecen devorados por estos tigres.

Estas fieras llevan una existencia semiacuática. Nadan, se alimentan de pescados, incluso atacan a los cocodrilos, y no dudan en acercarse a las barcas para matar a un pescador. Cuando detectan una presa en un sendero del bosque, la siguen durante días. Se lanzan sobre su víctima siempre por detrás. Para intentar intimidar a estos terroríficos depredadores, los campesinos que van a recoger la miel se ponen en la nuca una máscara de aspecto humano equipada de pilas eléctricas que provocan que los ojos emitan destellos. En muchos puntos de esta reserva, el departamento de bosques ha situado maniquíes conectados a potentes acumuladores eléctricos. Al menor contacto, el animal recibe una descarga de tres mil voltios.

Nadie ha podido explicar todavía la extrema ferocidad de estos animales. Su gusto por la carne humana se podría deber al hecho de que frecuentemente se alimenta de restos humanos procedentes de las hogueras funerarias instaladas a lo largo del Ganges. Dado que la madera cuesta muy cara, los habitantes de la región a menudo no pueden incinerar por completo a sus muertos. Entonces lanzan sus restos al río y la corriente los arrastra hasta las lindes del bosque.

Además de los tigres, la tuberculosis, el cólera, el paludismo, la disentería y todas las enfermedades carenciales causan estragos en estas islas desfavorecidas. Sólo un barco-dispensario podría remediar esta situación, desplazándose de una isla a otra. Además de las intervenciones de urgencia y de los cuidados a los enfermos, permitiría organizar campañas de vacunación y de prevención de la tuberculosis, promover programas de educación, planificación familiar, higiene, desarrollo económico familiar... Este proyecto representaría una auténtica revolución sanitaria y social para la región. A fin de poder cumplir con estas exigencias, la embarcación debería contar con un equipo de radiología con su grupo electrógeno, una instalación quirúrgica rudimentaria y un refrigerador de energía solar para conservar vacunas y medicamentos. El equipo debería contar con dos médicos, varios enfermeros y una tripulación competente.

El coste de semejante proyecto supera en mucho nuestros recursos. ¿Cómo encontrar el equivalente de los cien mil euros necesarios? «Dios proveerá», me repite la Madre Teresa cada vez que le hablo de una situación difícil o que reclama un esfuerzo financiero particular. En el caso de nuestro barco-dispensario, Dios elige como intermediaria a una joven pareja de holandeses propietarios de la empresa Merison, uno de los mayores distribuidores mundiales de artículos de menaje. Alexander van Meerwijk y su mujer han asistido a una de mis conferencias. Han venido a Calcuta a visitar las diferentes organizaciones humanitarias que financiamos. Se han entusiasmado tanto por el trabajo llevado a cabo que deciden conmemorar de una manera muy particular el centenario de su empresa. En lugar de invertir en costosas celebraciones, nos entregan un cheque por la cantidad que necesitábamos, que nos permite acondicionar el barco-dispensario que hoy lleva el nombre de *Merison Van Meerwijk City of Joy Boat Dispensary.* Por desgracia, esta embarcación únicamente puede abarcar una decena de islas. Se necesitarían siete al menos para cubrir toda la zona. Una empresa imposible a causa de su coste y de la dificultad que representaría la gestión de semejante flota en una región tan peligrosa e imprevisible como las bocas del Ganges y del Brahmaputra. De todos modos, al final lograré armar tres embarcaciones más. Una de ellas llevará el nombre de *Pere Roquet*, un generoso banquero del Principado de Andorra. Otro barco será bautizado como *Friends of Italy*, a causa de la participación de la ciudad de Lecco y de otros generosos donantes italianos. Equipadas con instalación de radio VHF, cuatro embarcaciones pueden coordinar hoy intervenciones inmediatas. Una hazaña casi única en la India, y tal vez en todo el Tercer Mundo, que permite que la ayuda humanitaria se adelante a los sufrimientos de algunas de las poblaciones aisladas más desfavorecidas. Con ocasión del terrible ciclón Aila, el 27 de mayo de 2009, nuestros barcos-dispensario se enfrentaron al terrible oleaje para salvar a millares de habitantes en apuros, aportándoles agua potable, víveres y cuidados médicos de urgencia.

*

Mi amada India no deseaba que mis impulsos de solidaridad se limitaran a los barrios de chabolas de Calcuta y a las regiones desheredadas de la Bengala rural. Un día me envía a un chico de alta estatura, con la frente ceñida por una bandana multicolor. Se llama Satinath Sarangi, pero se le conoce con el diminutivo de Sathyu. Procede de Bhopal, una ciudad de ochocientos mil habitantes situada en el centro del país. Este antiguo ingeniero mecánico ha dedicado su vida a aliviar las aflicciones de los supervivientes de la mayor catástrofe industrial de la historia, la explosión de una fábrica de pesticidas en pleno corazón de Bhopal, que causó treinta mil muertos y envenenó a medio millón de habitantes. Sathyu me dice que, quince años más tarde, hay gente que sigue muriendo mientras que decenas de millares de pobres luchan por recibir cuidados. El muchachote de la bandana multicolor es el líder de este combate. Ha leído *La Ciudad de la Alegría* y ha oído hablar de mi cruzada humanitaria en Bengala. Apela a mi ayuda en nombre de las víctimas abandonadas de esa tragedia.

¡Bhopal! Una joya entre todas las maravillas de la India, pero como está situada fuera de los itinerarios turísticos habituales, pocos extranjeros la conocen. Descubro una profusión de magníficos palacios, de mezquitas sublimes, de soberbios jardines. Capital de un estado más poblado que Francia, la ciudad se distinguió en la historia nacional por su rica cultura musulmana, por sus tradiciones de tolerancia, por el progresismo de sus instituciones. Un esplendor que se extendió a innumerables terrenos. Entre todas las expresiones de esta herencia, Bhopal ha prestado desde siempre una especial atención a la poesía. Perpetuando la costumbre de las Mushairas –veladas de recitaciones que permiten que el pueblo se encuentre con los mayores poetas–, la ciudad organiza varias veces al año monumentales manifestaciones en el Lal Parade Ground, el campo de maniobras de la antigua caballería real. Con los ojos iluminados de felicidad, sesenta y cuatro mil amantes de la poesía suelen escuchar durante noches enteras cómo los poetas cantan a los sufrimientos, las alegrías, las búsquedas eternas del alma. «No llores más, amada mía –implora una de las canciones preferidas por los bhopalíes–. Aunque de momento no es más que polvo y lamentos, tu vida canta ya la magia de tu existencia futura.»

¿«La magia de tu existencia futura»? Una promesa mítica que se transformó en una pesadilla cuando, en 1960 llegó un Jaguar Mark VII de color gris. El hombre que lo conducía representaba al gigante estadounidense de la industria química, Union Carbide. Se llamaba Eduardo Muñoz. Su misión era encontrar un lugar en la India propicio para la construcción de una fábrica para producir un pesticida llamado Sevin, un producto fitosanitario particularmente adaptado a las necesidades de los campesinos indios, cuyos cultivos habitualmente quedaban asolados por insidiosas plagas de insectos. Bhopal ofrecía a los ojos del representante de Carbide todas las bazas posibles: situación céntrica, excelente comunicación viaria, ferroviaria y aérea; abundantes recursos en agua, electricidad y mano de obra.

Los dirigentes de la ciudad desplegaron la alfombra roja más hermosa. La llegada de una multinacional del prestigio de Union Carbide era, para la ciudad y la región, una bendición extraordinaria. Y sin embargo, según la lógica, la demanda estadounidense se tendría que haber rechazado. Según el plan de urbanismo fijado por las autoridades municipales, ninguna industria que emitiera residuos tóxicos podía implantarse en lugares donde los vientos dominantes pudieran enviar estos residuos hacia zonas densamente habitadas. Y esto es lo que sucedía en el caso del emplazamiento elegido, en el que los vientos habituales soplaban de norte a sur, es decir, hacia los barrios superpoblados de la ciudad vieja. Pero los enviados estadounidenses de Carbide engañaron a sus interlocutores indios ocultándoles que el pesticida producido por la futura fábrica debía elaborarse a partir del gas más mortal jamás inventado por la industria química: el isocianato de metilo. Los estadounidenses tenían la conciencia tranquila. En Institute, en Estados Unidos, donde habían diseñado el modelo de la fábrica india, los responsables de Carbide afirmaban que los sistemas de seguridad permitían controlar todos los riesgos del isocianato de metilo. Llegaron a afirmar que la factoría de Bhopal sería «tan inofensiva como una fábrica de bombones».

Una «inofensiva fábrica de bombones» que sembró el apocalipsis. La explosión, en la noche del 2 al 3 de diciembre de 1984, de dos depósitos que contenían cuarenta y dos toneladas de isocianato de metilo proyectó hacia la superpoblada ciudad una nube mortal que sumió en el desastre más atroz a la alegre ciudad de la poesía.

¿Por qué? ¿Por qué una aventura industrial que había comenzado como un cuento de hadas había terminado con semejante pesadilla? Iba a consagrar dos años más en mi amadísima India a descubrirlo.

En principio, el hecho de que Estados Unidos quisiera poner la quintaesencia de su tecnología al servicio de unos campesinos del Tercer Mundo martirizados por los insectos no tenía nada de anormal. Pero que este proyecto se realizara sin que se calcularan las necesidades exactas de pesticidas del mercado local, lo condenaba a un fracaso económico. Construida para producir cinco mil toneladas anuales de Sevin, cuando la India sólo podía absorber la mitad como máximo, esa «fábrica de bombones» estaba condenada fatalmente a perder dinero. A esta oscura realidad financiera se había sumado el peligro que representaba la producción en las mismas instalaciones de toneladas de isocianato de metilo necesarias para la producción de tanto pesticida. Un día, un visitante alemán, horrorizado por la cantidad de este gas mortal almacenado en la fábrica, exclamó: «¡Bhopal vive sobre una bomba atómica!»

Deseosos de reducir las pérdidas financieras, los responsables de Carbide emprendieron entonces toda una batería de recortes orientados a ahorrar. Como siempre sucede en estos casos, las primeras medidas se centraron en los gastos más fáciles de reducir: los de seguridad. Se dejaron de reponer tubos o aparatos defectuosos, se sustituyó a los mejores ingenieros por personal menos costoso, pero fatalmente menos cualificado. Finalmente, para ahorrar unos cien miserables dólares al día en facturas de electricidad, se cortó la refrigeración de los tres depósitos que contenían el gas, cuando debe mantenerse imperativamente a una temperatura de cero grados. La noche de la catástrofe, el termómetro marcaba 24 °C. Incluso las alarmas sonoras que teóricamente debían avisar en el caso de que se registrara un calor anormal en los depósitos se habían desactivado. Por su parte, la manga de aire que debía indicar a los habitantes la dirección del viento no se podía ver.

Será preciso esperar veintiséis años para que un

tribunal indio condene finalmente a varios responsables de la espantosa tragedia. Pero las penas impuestas –dos años de cárcel susceptibles de libertad bajo fianza, y el equivalente a menos de mil euros de multa– les parecieron un insulto a los supervivientes de la catástrofe, que inmediatamente iniciaron una violenta campaña de rebelión. Entre los condenados no había ningún estadounidense. Warren Anderson, el gran jefe de Union Carbide durante la tragedia, vive desde hace más de un cuarto de siglo una apacible jubilación en su lujosa propiedad de Connecticut. Estados Unidos no permitirá jamás la extradición de este capitán de la industria hacia un país del Tercer Mundo. Por su parte, la India está demasiado preocupada por atraer a otras empresas estadounidenses hacia su territorio como para desear que el principal responsable del desastre de esta desdichada ciudad acabe ante la justicia.

¡Pobre Bhopal, donde tantas mujeres siguen padeciendo múltiples cánceres, donde tantos niños siguen naciendo con el cerebro incompleto o los miembros atrofiados, donde tantos hombres siguen siendo víctimas de cegueras brutales o de colapsos respiratorios! Donde decenas de toneladas de residuos tóxicos dejados por la explosión siguen envenenando el agua de las napas freáticas que los habitantes de los asentamientos de chabolas cercanos a la antigua fábrica están condenados a beber.

El libro que publico en 2001 con Javier Moro, *Era*

medianoche en Bhopal, conoce tal éxito mundial que impide que se construyan al menos otras cinco fábricas como la de Bhopal en todo el planeta. Sobre todo, me permite responder a la demanda desesperada del hombre de la bandana multicolor que vino a verme en Calcuta. Gracias a los derechos de autor y a la contribución de la fundación suiza Pro Victimis, puedo ofrecer a los supervivientes de la tragedia una clínica ginecológica ultramoderna que hoy atenúa los sufrimientos de millares de mujeres totalmente abandonadas por la ayuda oficial. También colaboro con dos comunidades de víctimas sin recursos abriendo una escuela para sus niños, dispensarios y talleres de aprendizaje para las mujeres. Sigue siendo únicamente una gota de agua en el océano de las necesidades de la miseria india. Es cierto, pero frente a la adversidad, siempre pienso en unas palabras de la Madre Teresa: «Sin esta gota de agua, el océano no sería el océano.»

Seis años después de la aparición en las librerías de *La Ciudad de la Alegría*, Roland Joffé, el célebre realizador de *Los gritos del silencio* y de *La misión*, desembarca en Calcuta para llevar al cine el relato que yo había contado en papel. Joffé estaba acostumbrado a los desafíos y se había enamorado de mi libro y de la ciudad mágica donde yo había situado la acción. Sabiendo que no podría rodar en las callejas y los patios interiores superpoblados del barrio donde yo había llevado a cabo mi investigación, decide construir enteramente, en un solar cerca de los muelles, un barrio de chabolas, increíble paradoja en esta megalópolis que cuenta ya con más de tres mil.

De entrada, la construcción de semejante decorado es un rompecabezas. Un barrio de chabolas es un *patchwork* de formas y colores. Para complicarlo todo, Joffé sólo quiere emplear materiales usados. «Los habitantes de los auténticos barrios de chabolas nos han tomado por locos –me confiará uno de los carpinteros–. Les íbamos a ver con puertas y ventanas nuevas y les proponíamos que nos las intercambiaran por las que tenían carcomidas en sus cuchitriles.» De este modo cambian de propietarios trescientas veinticinco puertas y cuatrocientas veinticinco ventanas.

Para atenerse a las reglas de las compañías de seguros estadounidenses que cubren a los actores, Joffé se ve obligado a rellenar las cloacas a cielo abierto con un líquido artificialmente oscurecido con colorantes alimentarios, Coca-Cola u otros, pero rigurosamente potables. Se tienen que vacunar contra todas las enfermedades imaginables los perros, los cerdos, los búfalos, las cabras, los pollos e incluso las ratas destinados a aparecer en la película. A fin de prevenir todo riesgo de accidente en el momento de las peleas y del derrumbe final del decorado, los constructores utilizan tejas y ladrillos de poliestireno ultraligero fabricados por una empresa británica de artículos para bromas. No creo lo que estoy viendo: todo es idéntico, desde los velos de los saris secándose en los balcones hasta los trozos de excrementos de vaca colgados en las fachadas de adobe. El efecto obtenido es tan realista que, al final del rodaje, centenares de personas sin hogar se precipitarán para ocupar el lugar. Los tendrá que evacuar la policía.

Joffé quiere convertir la llegada del monzón en un momento culminante de la película. Para las alucinantes escenas en las que las riadas sumergen de golpe el barrio y a sus habitantes bajo dos metros de agua, recurre a un experto mundial en efectos especiales. Veterano de *Alien*, *La guerra de las galaxias* y otras cien producciones de ciencia ficción, el británico Nick Adler desembarca en Calcuta con un vagón de materiales y de *gadgets* capaces de engullir la mitad de la ciudad bajo un diluvio bíblico. Alrededor del decorado construye un muro estanco, de modo que el barrio se transforme en una gigantesca piscina en el momento de la inundación. Instala en los tejados toda una red de cañerías que pueden verter torrenciales chaparrones de más de un millón y medio de litros por hora. Sobre una grúa gigante alquilada a los guardas forestales del Himalaya, monta cañones de agua capaces de aumentar a voluntad la intensidad de las riadas. Con motores de Volkswagen y hélices de DC3, recuperados de un chatarrero de Nepal, fabrica inmensos ventiladores que pueden desencadenar un huracán con una fuerza de más de ciento treinta kilómetros por hora. Para alimentar toda esta maquinaria, Adler piensa primero en bombear el agua del Hooghly, el brazo del sagrado Ganges que fluye cerca de allí. Pero el análisis bacteriológico revela que el líquido parduzco al que los hindús arrojan las cenizas de sus muertos está tan contaminado que los actores estadounidenses y europeos corren el riesgo de contraer el tifus o el cólera. Adler decide excavar un pozo. Aunque el agua que encuentra es de una pureza irreprochable, las compañías aseguradoras lo obligan a filtrarla en aparatos especiales importados de Inglaterra. Gracias al cine, Calcuta va a conocer el primer monzón tratado con cloro de la historia.

Para encarnar al médico estadounidense del libro, Joffé elige a una estrella mundial, el actor Patrick Swayze. Y para el papel de Hasari Pal, el conductor de *rickshaw*, la elección recae en Om Puri, un actor punjabí que ha interpretado más o menos a todos los personajes del pueblo llano de la India, en un centenar de películas. Om Puri ha intervenido incluso en *Gandhi*, de Attenborough. Sus orígenes rurales, su contagiosa expresividad, su sencillez, lo convierten en un Hasari Pal ideal. Para personificar a Kamla, su esposa, Joffé elige a otra gloria del cine indio. Hija de un ilustre poeta urdu, la musulmana Shabana Azmi, de treinta y ocho años, es una especie de Meryl Streep en sari. Su incansable combate por los derechos de la mujer india la hace acreedora de un inmenso respeto.

Para los demás papeles indios, Joffé acude al vivero de las innumerables compañías de teatro de Bombay y de Calcuta. Llega a descubrir auténticos actores leprosos en un hogar de la Madre Teresa. Para interpretar a Anuar, el leproso sin brazos ni piernas cuyo espléndido casamiento yo había narrado, el realizador encuentra, en una compañía teatral londinense para minusválidos, a un lisiado sirio llamado Nabil Shabam. Gracias a su coraje y su energía, este hombre logró superar su condición y hacer olvidar la lástima que podía inspirar. Representaba exactamente el personaje del libro: un hombre que, a imagen de los habitantes de la Ciudad de la Alegría, sabe ser más grande que la desdicha.

Ciento cincuenta actores y técnicos ocupan una ala entera del Oberoi Grand, el viejo gran hotel renovado en el que marajás y británicos celebraban antaño las fiestas más suntuosas del imperio. Con sus bares forrados de teca del Himalaya, su piscina de mármol incrustado con piedras semipreciosas, sus cohortes de sirvientes con turbantes y cinturones dorados, es un oasis de lujo casi indecente en el corazón del loco caos que lo rodea. Joffé no deja que su compañía disfrute en exceso de sus encantos. Apenas Patrick Swayze desembarca del avión de Los Ángeles, lo manda al hogar para moribundos de la Madre Teresa. Durante ocho días, el joven estadounidense cura las llagas de los moribundos recogidos en las calles, acompaña a los agonizantes en su último viaje, una experiencia que lo traumatiza pero que instantáneamente lo pone en la piel de su personaje. Por su parte, el indio Om Puri empieza ya desde el amanecer a entrenarse con un *rickshaw*. Siguiendo las indicaciones de dos auténticos conductores de este vehículo, se lanza con los pies desnudos en medio de la circulación demente de los barrios vecinos. Ciertos viandantes lo reconocen, lo paran, lo ovacionan, lo levantan sobre los hombros, lo llevan triunfalmente hasta el hotel como si fuera una divinidad del Ramayana.

Ya el primer día del rodaje, el ministro de Información y Cultura de Bengala, Buddadev Battacharya, convoca a los periodistas. «Esta película es un vómito de odio y de conmiseración –declara–. Debemos obligar a sus autores imperialistas a que abandonen el país.»

Al día siguiente, el diario bengalí *Ajkaal*, un periódico de gran tirada, portavoz de los marxistas locales, publica pretendidos extractos del guión donde las escenas de violación suceden a peleas con cuchillos. «Esta película en la que sólo se ve a un montón de violadores, prostitutas, truhanes, leprosos y mendigos es un insulto a nuestro pueblo», concluye el editorialista del diario antes de reclamar que el rodaje sea inmediatamente prohibido.

El ministro comunista manda entonces a una horda de manifestantes que muestran pancartas con la leyenda «CITY OF JOY GO HOME!» hasta el lugar en el que Joffé rueda sus primeras escenas. Movilizando todas las reservas de su flema británica, éste intenta negociar. Incluso acepta dar algo de dinero a cambio de que los alborotadores se vayan. Pero diez minutos más tarde, viene una segunda oleada, más amenazante que la primera. Esta vez, los manifestantes lanzan piedras. Muchos llevan banderas rojas con la hoz y el martillo. Junto a Cuba, Calcuta es el último lugar del mundo en el que todavía se exhiben estos símbolos.

Los actores indios intentan calmar a los manifestantes, pero muy pronto, las escenas de exteriores se convierten en una pesadilla. Se necesitarían miles de policías y kilómetros de barreras metálicas para retener la marea humana que invade sin cesar los escenarios del rodaje guiada por los cabecillas pagados por el gobierno. En esta ciudad en la que se puede alquilar a un manifestante por el equivalente de menos de un euro al día, las demostraciones políticas, sociales y religiosas forman parte de los hábitos cotidianos.

Joffé se empecina. Todo su entorno le aconseja que se vaya a Bombay. Pero él responde reuniendo a los periodistas en su hotel: «He querido rodar en Calcuta porque es una ciudad humana y vibrante –les declara–. Una ciudad a la que amo apasionadamente. No podría hacer la película en otra parte.»

Cada vez que salen del hotel, Om Puri y Shabana

Azmi, las dos estrellas indias, se ven asaltadas por pancartas que proclaman que son «traidores vendidos a los dólares norteamericanos». Pronto, centenares de manifestantes dirigidos por un grupo de artistas, de pintores y de escritores bengalíes asedian el establecimiento. «Dejad de enriqueceros explotando nuestra pobreza», grita su líder al realizador y a sus actores.

Para colmo de desdichas, la Operación Tormenta del Desierto, iniciada por el presidente Bush, acaba de estallar en Irak. A los ojos de los dos millones de musulmanes de Calcuta, que idolatran a Saddam Hussein como a un dios, cualquier extranjero se ha convertido en un enemigo. El conjunto de la prensa retoma con virulencia la campaña de calumnias del diario *Ajkaal*. Al descubrir mi presencia, el periódico se ceba en mí. Reproduce extractos de mi libro para describirme como «un vampiro que chupa la sangre de los pobres». Los reporteros nos persiguen día y noche, a mi mujer y a mí, hasta el apartamento donde unos amigos nos han albergado. Una noche, el cónsul de Francia nos llama para exhortarnos a mudarnos lo antes posible. Acaba de recibir el aviso de parte del jefe de la policía de que se prepara una manifestación contra los Lapierre y que «las cosas podrían acabar mal». Por su parte, todos los libreros que venden *La Ciudad de la Alegría* han recibido la orden de destruir sus ejemplares «so pena de ver cómo son incendiadas sus tiendas».

La tensión alcanza su punto álgido el décimo día,

cuando un reportero y un fotógrafo de *Ajkaal* penetran a la fuerza en el plató de rodaje instalado en el jardín botánico. Los interceptan inmediatamente y se los llevan afuera. Seis días más tarde, el reportero fallece. El periódico pone toda la carne en el asador. Anuncia a toda página, en portada: «Un periodista asesinado por los sicarios de *La Ciudad de la Alegría*.» El artículo cuenta que los dos enviados del periódico fueron injuriados, arrojados al suelo y azotados antes de ser golpeados con barras de hierro por los responsables de seguridad de la producción. Desde luego, no hay ni una sola palabra de verdad en esto, pero el asunto desencadena pasiones. Inculpados por agresión física con resultado de muerte, Joffé y su director de producción son objeto de una denuncia. Contraatacan exigiendo que se practique la autopsia de la supuesta víctima. El informe del médico forense establece que el periodista ha fallecido de muerte natural, a consecuencia de un cáncer de las vías linfáticas en fase terminal. No se ha podido encontrar la más mínima herida ni rastro de contusiones en su cuerpo. *Ajkaal* se guarda mucho de publicar la información. Profundamente herido, el realizador se precipita hasta la oficina del redactor en jefe. «Señor Joffé –le espeta éste–, sabemos que en Calcuta se puede comprar todo. Incluso un informe de autopsia.»

Las intimidaciones, manifestaciones y agresiones se multiplican. Quienes se han propuesto acabar con la película tienen una gran imaginación. Provocan que los agentes de la aduana intervengan las bobinas impresionadas. Obligan al Comité Indio de Protección de la Infancia a que presente una querella. ¿Acaso no se emplean en la película niños menores, violando la ley de 1986 que prohíbe el trabajo infantil? Alegación surrealista en esta ciudad donde miles de niños esclavos trabajan día y noche por salarios de miseria en talleres que son tugurios de trabajos forzados. Los tres jóvenes actores de la película tienen la suerte de disfrutar de las severas medidas de protección previstas por la ley estadounidense sobre el empleo de niños en una película. Entre otras cosas, los productores han tenido que contratar a tres maestros para garantizar la continuidad de sus estudios.

Una jauría de abogados y de magistrados invade entonces la Corte Suprema de Bengala con el pretexto de que, en una escena de la película, una joven prostituta ofrece sus servicios a Patrick Swayze. «Este episodio es un insulto a la dignidad de la mujer india», declaran. El juez ordena la suspensión del rodaje hasta que la escena pueda ser visionada por el tribunal. Las aglomeraciones, atropellos y atascos que provoca el rodaje impulsan al ministro en jefe de Bengala a entrar a su vez en la batalla. «No puede ser que las calles de Calcuta se conviertan durante cuatro meses en un estudio de cine», exclama ante los periodistas.

Para finalizar, unos policías se presentan en el Hotel Oberoi Grand con un papel de color azul. Es la prohibición definitiva para filmar en la vía pública. El director se recluye, con su equipo y su material, en su decorado cerca de los muelles. Cada mañana, una columna de autocares transporta a su ejército de extras. En unos minutos, esas calles fantasmales vibran con un bullicio multicolor, con una cacofonía exuberante, con el humo crepitante de los braseros. Pero la protección de las empalizadas erigidas en torno a este barrio de chabolas de cine demuestra ser poco eficaz. Los camiones que transportan la comida de la compañía son interceptados y saqueados. El día en que se prepara la escena en la que los sicarios del padrino bombardean mediante botellas incendiarias la pequeña leprosería que acaban de abrir los personajes interpretados por Patrick Swayze y la británica Pauline Collins, veo que unos manifestantes escalan el recinto para lanzar una lluvia de cócteles molotov. Por fortuna, no hay víctimas, pero esta agresión terrorista traumatiza a actores y técnicos. Por la noche, Joffé los reúne a todos en el gran salón del hotel. Con tono grave, declara: «El que quiera es libre de dejar el rodaje.»

Pero nadie lo hace. *La Ciudad de la Alegría* se rodará hasta la última escena. Las jornadas perdidas se recuperarán en un estudio. Inspirados por el coraje y la voluntad de los personajes, cuyo combate cotidiano narran las imágenes, el equipo y su realizador irán hasta el fin, superando todos los obstáculos. Su película es, ante todo, un homenaje al espíritu de supervivencia. Para mí quedará como la turbadora traducción cinematográfica de la epopeya de fe y de esperanza que yo había contado con mi corazón.

El mundo entero consagra el triunfo de la película que presento en estreno mundial ante cinco mil entusiastas en el Palacio de Congresos de París. Las donaciones a mi asociación humanitaria afluyen. Puedo soñar con nuevos programas en favor de los más desfavorecidos de mi amada India. Pero muy pronto, la euforia cede su lugar a la pesadilla de reunir cada año el equivalente a un millón de euros, y luego hasta dos millones y medio, para financiar los diferentes proyectos. Un día, Dominique y yo tomamos la difícil decisión de vender nuestra propiedad en Ramatuelle para obtener los recursos necesarios para proseguir nuestra acción. Nuestro sacrificio no es tan difícil cuando pensamos que nos podemos instalar en la casita vecina que habíamos construido para las visitas de nuestros familiares y nuestros amigos. Pero sobre todo también por la calidad de los compradores italianos que hemos tenido la suerte de encontrar. Cristina Mondadori y su marido, Mario Gallini, siempre habían mostrado su compasión por los menos favorecidos. Habían creado en Milán una fundación y abierto un centro de tratamiento y de rehabilitación para niños que padecen minusvalías motrices y cerebrales. En seguida mostraron interés por mi acción humanitaria en la India, y me ofrecieron hacerse cargo de los costes de una de las unidades del Hogar Resurrección, que cuenta con unos cincuenta niños. Este *cottage* lleva hoy el nombre de Benedetta d'Intino, en recuerdo de la niña minusválida que perdió Cristina Mondadori.

Y ya que menciono a nuestros patrocinadores italianos, quiero subrayar el reconocimiento muy especial que siento por Italia. En este país he encontrado más generosidad, más solidaridad, más compasión hacia los sufrimientos de los más pobres que en ningún otro lugar del mundo. Necesitaría un libro entero para enumerar todas las muestras de apoyo que recibo de este pueblo maravilloso. No puedo dejar de citar mi gratitud por la pequeña ciudad de Carmagnola, en el Piamonte, que, por iniciativa del periodista y escritor Renzo Agasso, cada mes organiza en el mercado municipal una venta de prendas de vestir y de objetos en beneficio de la Ciudad de la Alegría. Debo testimoniar también mi reconocimiento infinito por una vecina de Florencia, Michèle Migone, que ha organizado una acción de «padrinazgo a distancia» en favor de los niños de muchos de nuestros hogares. Gracias a Michèle, más de quinientas familias italianas garantizan hoy en día los medicamentos y la educación de estos niños, muchos de los cuales reciben tratamiento contra la lepra. Cada dos años, asistida por el equipo de voluntarios que ha reclutado entre la alta sociedad de Florencia, Michèle Migone organiza además, con el concurso de la princesa Giorgiana Corsini, una gran venta pública de ropa de marca ofrecida por generosas donantes. Esta operación permite asegurar la supervivencia de varias escuelas.

*

No menos honda es mi gratitud por la generosidad española. No puedo dejar de sentirme conmovido por la solidaridad de Rosario Casanovas, a quien conocí un día en el aeropuerto de Calcuta y que, desde entonces, cada año organiza en su villa de Girona un concurso de *patchwork* cuyos beneficios envía a nuestra asociación. Por la generosidad de Amparo Castañer, profesora en Valencia, que comparte regularmente su salario con los niños minusválidos de nuestra Casa de la Esperanza; por Juan Tapia, empresario de Segovia, que quiso pagar un precio mucho más elevado por un coche de colección que yo quería venderle para garantizar el mantenimiento de uno de nuestros barcos-dispensario; por Jesús Badenes, editor de Barcelona cuyas donaciones nos permiten mantener varias escuelas. Y me conmueve hasta las lágrimas el apoyo regular de Pere Roquet, banquero retirado de Andorra que año tras año nos permite socorrer a los habitantes de las islas del delta del Ganges. Y qué decir de la generosidad de mi sobrino cineasta Carlos Moro, que regularmente viene de España a filmar por su cuenta la epopeya de supervivencia de las poblaciones que mi mujer y yo hemos tomado bajo nuestra protección.

Ningún país ha saludado mi acción humanitaria con tantas distinciones oficiales. La reina doña Sofía en persona me confía en el palacio de la Zarzuela la Gran Cruz de la Orden Civil de la Solidaridad Social. Asimismo he recibido, por el impulso entusiasta del padre Ángel García, presidente de Mensajeros de la Paz, la Orden de la Paz de las Naciones Unidas. La Asamblea de la Ciudad Autónoma de Ceuta, al concederme el Premio Convivencia de la ciudad honró a todos los héroes de mi cruzada humanitaria. En este emocionante concierto de alabanzas, no podría olvidar la magnífica solidaridad que siempre me han demostrado mis editores españoles del Grupo Planeta. Ellos han alentado con el más vibrante de los entusiasmos mis proyectos literarios, como por ejemplo *Era medianoche en Bhopal*, que trata de la terrible catástrofe industrial que golpeó a la India en 1984; *Un arco iris en la noche*, sobre la tragedia del *apartheid* y la epopeya de Nelson Mandela, el liberador de Sudáfrica; *Oh, Jerusalén*, en el que se cuenta el nacimiento del Estado de Israel y los orígenes del conflicto árabe-israelí; y también su reciente iniciativa por crear la Biblioteca Dominique Lapierre, en la que se reúnen los grandes temas de los que tratan mis bestsellers escritos junto a Larry Collins sobre la historia del siglo XX, como *¿Arde París?*, el relato del milagro que salvó París al final de la segunda guerra mundial; *... O llevarás luto por mí*, sobre la guerra civil española y el nacimiento de una nueva España; *Esta noche, la libertad*, sobre el proceso de independencia de la India y Pakistán, y *El quinto jinete*, acerca de Gadafi y el terrorismo nuclear. Estos títulos, hoy reunidos en una prestigiosa colección, la mayor parte de ellos ilustrados con numerosas fotografías, constituyen un soberbio homenaje editorial a la pasión por la gran historia que Larry Collins y yo mismo hemos demostrado en nuestros libros. Que mis editores y amigos Jesús Badenes, Carlos Revés, Berta Noy, Maria Guitart, Laura Franch y Paco Barrera reciban, pues, mi más sincero y digno reconocimiento. Que sepan también que les agradezco muchísimo el apoyo incondicional que siguen ofreciendo a la cruzada humanitaria que alarga mis aventuras literarias después de treinta años. Su generosidad e inspiración me aportan las vitaminas que necesito para seguir mi obra como escritor y mi misión como humanista al servicio de aquellos que la Madre Teresa llamó «los pobres de Dios».

Pese a todo, tras el balance de éxitos de nuestras acciones de solidaridad se ocultan algunas decepciones, algunos fracasos y mucho sufrimiento. Ayudar no es cosa fácil. El envío de un cheque es un gesto infinitesimal en comparación con el seguimiento que implica este apoyo financiero. No basta con enviar dinero, es preciso garantizar el control y la transparencia de su empleo. La asociación Acción por los Niños de los Leprosos de Calcuta, que fundé en 1982 con mi mujer después de conocer a James Stevens, funciona sin ningún colaborador asalariado. Lo mismo sucede con asociaciones «filiales» que permiten a nuestros amigos donantes exenciones fiscales en Estados Unidos, en Italia, en Inglaterra y en la India. Dominique y yo asumimos personalmente todos los gastos de gestión, burocráticos y de transportes a fin de que mis derechos de autor y las donaciones de los lectores lleguen íntegramente a sus destinatarios. Desde hace cerca de treinta años, este deseo de eficacia absoluta moviliza más de la mitad de mi tiempo. Mi notoriedad en la India me permite obtener entre los bancos locales tasas de cambio preferentes en nuestras transferencias de fondos, lo cual a veces me ofrece los medios para construir una escuela de más o acoger a más niños en un hogar.

Y cuando voy a cambiar dinero líquido a una oficina de cambio, siempre es con la esperanza de obtener unas rupias de más por cada dólar. Para ablandar a los encargados del mostrador, no dudo en enseñarles algunas fotos de niños de nuestros hogares, o algunas imágenes de las miserias que aliviamos. En general esto basta para hacer pasar la tasa de un dólar de sesenta a sesenta y dos, sesenta y tres e incluso sesenta y cuatro rupias. ¡Pero cuántos resfriados me han costado estas proezas! Porque cuando descubren que la persona que tienen enfrente es «Dominique Lapierre, el célebre autor de *Esta noche, la libertad* y de *La Ciu-*

dad de la Alegría», al empleado le suele embargar tal entusiasmo que en seguida me lleva al despacho de su superior. Un corto viaje que me permite pasar de los cuarenta grados de temperatura ambiente de la ventanilla exterior a los veinte o veintidós grados del despacho de su superior, refrigerado por un potente sistema de aire acondicionado. Y si por casualidad, al titular de este despacho, vista mi «inmensa notoriedad», se le ocurre presentarme al director de su agencia, entonces lo que me encuentro es una temperatura polar de apenas diez grados que me congela allí mismo a causa de la presencia de un segundo aparato de aire acondicionado. Para protegerme de estos cambios tan bruscos, mi querida Dominique nunca deja de ir equipada, en plena canícula de Calcuta, con una colección de chaquetitas, bufandas y gorros de lana por si el director de un banco me arrastra hasta su oficina para ofrecerme su mejor tasa de cambio.

De todos modos, estos éxitos nos dejan desarmados ante las extremas y numerosas situaciones particulares que prevalecen en esta región del mundo, perpetuamente afectada por calamidades climáticas. No pasa ningún año sin que los ciclones o las inundaciones destruyan edificios en los pueblos en los que se encuentran nuestras escuelas, nuestros refugios, nuestros dispensarios. En septiembre de 2005, las crecidas catastróficas del río Damodar arrasaron en pocas horas varios establecimientos escolares de los que estábamos particularmente orgullosos, ya que los habíamos construido a pesar de la hostilidad de empresarios mafiosos que empleaban en sus talleres de trabajos forzados a los niños que queríamos escolarizar. Mi queridísima India me enseña una vez más que las peores catástrofes pueden ser generadoras de las más hermosas resurrecciones. Una noche en la que charlamos de esta desgracia con mi viejo amigo Hubert de Givenchy, nos hace un regalo para atenuar nuestra pena. «He conservado el vestido negro que le diseñé a Audrey Hepburn para la película *Desayuno con diamantes* –nos dice–. Os permitirá reconstruir una o dos escuelas.»

Bendito seas, querido Hubert, cuya maravillosa generosidad, sumada a la de todos nuestros fieles amigos donantes, nos permitirá arrancar de las garras de los explotadores a centenares de niños condenados a una muerte prematura.

Aquella noche, Dominique se lleva en sus brazos la prenda de Audrey Hepburn con tantas precauciones como si se tratara del Santo Sacramento. Al día siguiente llevamos la preciosa reliquia a Christie's. Cada año, la célebre casa organiza una subasta consagrada a los vestidos y objetos que pertenecieron a estrellas del mundo del espectáculo y del cine. Christie's nos promete que la subasta de la famosa prenda se conocerá en todas las partes del mundo en las que haya museos de la indumentaria o coleccionistas susceptibles de interesarse en ella. Y el martes 5 de diciembre de 2006 se produce el milagro. El vestido icono de *Desayuno con diamantes* es adjudicado en Londres... ¡por cuatrocientas diez mil libras esterlinas, es decir, seiscientos ocho mil euros! Un récord absoluto para este tipo de objeto. Creo que mi corazón se va a parar ante el anuncio de la última puja presentada al teléfono por un comprador anónimo. No sólo vamos a poder reconstruir las tres escuelas. Vamos a arrancar de la ignorancia y de la esclavitud a centenares de niños más, gracias a ocho nuevos establecimientos escolares.

El día en que inauguro la primera de estas escuelas ante los miles de niños de una zona muy pobre y muy alejada de Calcuta, tomo como testigo a la mítica actriz que consagró la última parte de su vida a aliviar los sufrimientos de los niños de África y de Asia. «Estés donde estés, querida Audrey –exclamo, levantando los brazos hacia el cielo–, todos los niños de la India te lo agradecen.» Un huracán de hurras saluda estas palabras, al que sigue un homenaje extraordinario a lo largo de las carreteras de la campiña bengalí, con la aparición de inmensos pósters que muestran a la actriz con su vestido negro, acompañada de estas palabras «*We love you, Audrey, Thank you*».

Los niños... Un día me entero de que cincuenta mil de entre ellos redactan en el mayor de los secretos una carta manuscrita, dirigida a la presidenta de su país, la señora Pratibha Patil, para pedirle que otorgue el Padma Bhushan a su «Hermano Mayor Dominique», como testimonio de gratitud oficial de la India a quien, desde hace más de un cuarto de siglo, se entrega incansablemente a su causa. El Padma Bhushan, el Ornamento del Loto, es la más alta distinción nacional, una especie de Premio Nobel indio que expresa el reconocimiento por servicios excepcionales a la nación. Para dar más peso a su demanda, los niños han decidido pegar sus solicitudes una tras otra para convertirla en la carta más larga de la Historia. Medirá doce kilómetros y entrará como tal en el Libro Guinness de los Récords. Dispuestas en tres rollos de un metro ochenta de diámetro cada uno, las cartas se transportan en camión hasta Nueva Delhi para depositarlas ante el despacho presidencial. Unos meses más tarde, un emisario del Ministerio del Interior de la India me informa de que la presidenta de mi queridísima India ha tomado la decisión de condecorarme con el Ornamento del Loto, y que me hará entrega de esta distinción en el curso de una ceremonia solemne que se celebrará en la sala de honor de su palacio, en presencia de Sonia Gandhi, del primer ministro, Manmohan Singh, y de las más altas autoridades nacionales y diplomáticas. ¡Qué honor! ¡Qué emoción! Entre otras cosas porque esta ceremonia se efectuará en el mismo lugar en el que lord Mountbatten fue entronizado en marzo de 1947 como último virrey del Imperio británico de la India, antes de proclamar seis meses más tarde, bajo esa misma cúpula, la independencia de la joya de la Corona británica.

Para mi libro *Esta noche, la libertad*, había pasado muchos días reconstruyendo en detalle la majestuosidad de este lugar tan histórico. Sentí cómo irradiaba la magia del pasado de sus paredes de piedra arenisca roja decoradas con inmensos retratos de los virreyes y virreinas que se habían sucedido a la cabeza del más poderoso imperio colonial de todos los tiempos. Y he aquí que me invitaban a regresar a ese palacio para recibir el homenaje de la nación que esos gigantes de la historia, Mountbatten, Gandhi y Nehru, habían conducido a la libertad.

Pero más que el extraordinario reconocimiento que representa la concesión de esta condecoración, lo que me causa más felicidad es la sensación de que me permite entrar definitivamente en la gran familia india a petición personal de sus hijos. Para llevar a cabo, con la gracia de Dios, nuevas tareas, lanzar nuevos proyectos, aportar más y más amor...

Post scriptum

Antes de dar por concluidas las páginas de este relato, me gustaría compartir con mis amigos lectores otras emociones que, en el atardecer de mi vida, han quedado grabadas en mi corazón con una intensidad particular. Todas ellas me las ha ofrecido mi amada India, que tanto me ha enseñado y tanto me ha dado.

Al día siguiente de la publicación de *Esta noche, la libertad*, recibo una invitación. Las niñas intocables de la escuela instalada en el *ashram* que el Mahatma Gandhi fundó a orillas del río Sabarmati cuando comenzó su cruzada en 1915 para expulsar a los ingleses, desean conocerme. Siento una ternura muy especial por este lugar tan impregnado del recuerdo de la Gran Alma, este santuario donde pasé tantos días estudiando los documentos relativos al inicio de su lucha. Las escolares nos esperan, a Dominique y a mí, ante la entrada con magníficas guirnaldas de claveles amarillos que nos ponen en torno al cuello hasta casi ahogarnos. Entonces descubro el homenaje tal vez más emocionante que voy a recibir en mi vida de escritor. Las alumnas han copiado con tiza, en una pizarra, el episodio de *Esta noche, la libertad* en el que Larry y yo contamos la última meditación de Gandhi la mañana de su muerte. Debajo del texto, escrito en amplias letras bellamente caligrafiadas, han escrito: «THANK YOU.»

Ningún «gracias» podrá igualar jamás en mi corazón este *Thank you* dirigido a un extranjero por estos «niños de Dios», como los llamaba el profeta de la India.

Penetramos entonces en el *ashram*. Bajo una enorme marquesina han instalado una tarima de oración. El director de la escuela me invita a que me sitúe en ella con mi esposa y los pocos amigos extranjeros que nos acompañan. Estoy tan emocionado que me cuesta decir a estas jóvenes indias que la Gran Alma a la que veneran también era la nuestra, que el Mahatma pertenecía a todos los hombres de esta Tierra, que mis amigos y yo nos sentimos niños de Gandhiji como también lo son ellas, y que esta posibilidad de compartir nos une con un vínculo excepcional. El director traduce al gujaratí mis palabras a medida que las pronuncio, y yo veo como los ojos van brillando con un resplandor cada vez más intenso. Invito entonces a las niñas a cantar el himno de Tagore que Gandhi entonaba a menudo al partir en sus peregrinaciones por la paz y la reconciliación de sus hermanos indios. «Si no oyen tu llamada, camina solo, camina solo», entonaron a viva voz las voces infantiles.

Otro recuerdo inolvidable es el que me ofrecerá mi amiguita Padmini, la niña que cada día, al alba, iba a recoger pedazos de carbón en las vías del tren de la Ciudad de la Alegría. Mi libro acaba de aparecer en bengalí. Cada noche, una serie de residentes del barrio de chabolas se reúnen en un patio interior en torno a un mulá musulmán y a un maestro de escuela hindú para escuchar la lectura del relato que cuenta su vida y su combate heroico contra la adversidad. Al enterarse de que acabamos de volver de Francia, un grupo de vecinos quiere que participemos en una fiesta en la entrada del barrio. «WELCOME HOME IN THE CITY OF JOY» (Bienvenidos a vuestro hogar de la Ciudad de la Alegría), proclama una banderola blanca y roja colgada encima de nuestras cabezas, de uno a otro lado de la callejuela. Una niña sale del grupo, con un gran ramo de flores en la mano. Es Padmini. Está radiante.

–Hermano Mayor y Hermana Mayor Dominique, aceptad estas flores –declara en nombre de todos, entregándonos el ramo–. Hoy, gracias a vosotros, ya no estamos solos.

Un día de 1985, una enorme sorpresa india me espera, esta vez, en Nueva York. Los diarios anuncian que la Madre Teresa y un grupo de sus hermanas indias acaban de llegar a Manhattan para abrir un hogar destinado a socorrer y cuidar a los moribundos, sin recursos ni familia, afectados por el sida. Es, pues, la India la que viene a socorrer al rico Occidente. Me precipito hasta la dirección del hogar. La santa de Calcuta le ha dado el hermoso nombre de «Don de Amor». En el vestíbulo hay un gran póster que proclama a los enfermos y a los visitantes la idea que la Madre Teresa tiene de la vida. Escribió este texto en una noche de monzón, hace muchos años, cuando cuidaba a los leprosos en un dispensario a orillas del Ganges. Recibo cada una de las afirmaciones de este texto como la invitación más importante que todos nosotros podemos oír hoy.

La vida es una oportunidad, aprovéchala.
La vida es belleza, admírala.
La vida es beatitud, saboréala.
La vida es un sueño, conviértelo en realidad.
La vida es un desafío, afróntalo.
La vida es un deber, cúmplelo.
La vida es un juego, juégalo.
La vida es preciosa, cuídala.
La vida es una riqueza, consérvala.
La vida es amor, goza de él.

La vida es un misterio, penetra en él.
La vida es promesa, llénala de significado.
La vida es tristeza, supérala.
La vida es un himno, cántalo.
La vida es un combate, acéptalo.
La vida es una tragedia, abrázala con coraje.
La vida es una aventura, atrévete.
La vida es felicidad, merécela.
La vida es la vida, defiéndela.

Todo lo que no se da se pierde

Proverbio indio que se ha convertido en el lema
del compromiso humanitario
de Dominique Lapierre

Los derechos de autor de Dominique Lapierre
y las donaciones de sus amigos lectores
contribuyen a apoyar acciones humanitarias
en la India, en África y en Sudamérica

Gracias a la asociación Action pour les enfants des lépreux de Calcutta, fundada en 1982 por el autor y su esposa, ha sido posible iniciar o continuar las siguientes operaciones de ayuda:

1. Tomar a su cargo de forma completa y continua a 300 niños (chicas y chicos) que han sufrido lepra, acogidos en el hogar Udayan-Résurrection; construcción de un nuevo pabellón (enfermería, sala de estudios y oficina); adquisición de una nueva parcela de terreno agrícola destinada a hacer cada vez más autosuficiente el hogar en cuanto a la alimentación.
2. Tomar a su cargo de forma completa y continua a 125 jóvenes discapacitados físicos y mentales acogidos en los hogares de la ONG Howrah South Point en Howrah y en Jalpaiguri.
3. Construcción e instalación del hogar Backwabari para niños afectados de parálisis cerebral con limitaciones especialmente graves.
4. Ampliación y acondicionamiento del hogar Ekprantanagar, en un extrarradio muy pobre de Cal-

cuta, para acoger a 140 hijos de obreros temporeros que trabajan en tejares. La acometida de agua corriente potable ha transformado las condiciones de vida de esta unidad.

5. Acondicionamiento de una escuela en las proximidades de este hogar para poder escolarizar, además de a los 140 niños internos, a 350 niños muy pobres de los barrios vecinos.

6. Reconstrucción de cien chabolas para familias que lo perdieron todo durante el ciclón que asoló el delta del Ganges en noviembre de 1988.

7. Tomar a su cargo completo el dispensario de la organización no gubernamental SHIS en Bhangar y de su programa de erradicación de la tuberculosis con cobertura de una población de unos ocho millones de habitantes. Instalación de un equipo fijo de radiología en el dispensario principal y creación de varias unidades móviles de diagnóstico radiológico, vacunas, curas y ayuda alimenticia.

8. Creación de numerosas unidades médicas en las aldeas alejadas de la Bengala rural, que permiten no sólo asistencia médica y una acción de lucha contra la tuberculosis, sino también programas de prevención y diagnóstico, de educación y vacunación, campañas de planificación familiar, así como *eye camps* para devolver la visión a los enfermos aquejados de cataratas.

9. Excavación de pozos para proporcionar agua potable y construcción de letrinas en numerosas aldeas del delta del Ganges.

10. Botadura y financiación de cuatro barcos-dispensarios en el delta del Ganges para aportar asistencia médica a la población de 54 islas aisladas de Sunderbans.

11. Tomar a su cargo el centro rural de asistencia médica de Belari, que recibe al año más de cien mil pacientes procedentes de aldeas desprovistas de cualquier ayuda sanitaria; construcción y mantenimiento del centro ABC para niños discapacitados físicos y mentales; construcción de una aldea para cien madres abandonadas con sus hijos.

12. Creación y mantenimiento completo de varias escuelas y centros de asistencia médica (alopáticos y homeopáticos) en dos barrios especialmente desheredados del vasto extrarradio de Calcuta.

13. Construcción de una aldea «Ciudad de la Alegría» para rehabilitar a familias aborígenes sin techo.

14. Donación de diez bombas de agua que funcionan con energía solar a diez aldeas muy pobres de los Estados de Bihar, Haryana, Rajasthan y Orissa, con el fin de permitir a los habitantes la producción de sus alimentos incluso en plena estación seca.

15. Tomar a su cargo un taller de rehabilitación de leprosos en Orissa.

16. Envío de medicamentos y suministro de 70.000 raciones de comida proteica para niños del hogar Udayan-Résurrection.

17. Diversas acciones para ayudar a adultos desheredados o enfermos de lepra en el estado de Mysore y a los niños abandonados de Bombay (India) y de Río de Janeiro (Brasil), así como a los habitantes de una aldea en Guinea (África) y a niños abandonados gravemente enfermos del hospital de Lublín (Polonia).

18. Creación de una clínica ginecológica para tratar a mujeres sin recursos víctimas de la catástrofe química de Bophal. Compra de un colposcopio para el diagnóstico precoz del cáncer de cuello de útero. Puesta en marcha y financiación de varias misiones de formación de equipos indios por ginecólogos voluntarios de Suiza y Francia.

19. Envío de equipos y servicios de urgencia para ayudar a las víctimas de las terribles inundaciones del otoño de 2000 en Bengala; programa de rehabilitación para realojar a miles de familias que lo han perdido todo.

20. Hacerse cargo de modo continuado desde 1998 de una parte de los programas del padre Pierre

Ceyrac para la educación de varios miles de niños en la región de Madras.

21. Envío de ayuda desde el día siguiente del tsunami de diciembre de 2004, con el fin de permitir a los equipos de los centros SHIS y ABC actuar sobre el terreno en Tamil Nadu y en las islas Andamans con urgencia y a largo plazo.

22. Construcción en Kathila del nuevo centro de ABC para acoger, educar y rehabilitar a trescientos niños discapacitados físicos y mentales, con la creación de un taller de equipo ortopédico.

23. Creación de un hogar para acoger y tratar a las niñas y las mujeres enfermas y abandonadas, bajo la responsabilidad de la organización ABC.

24. Hacerse cargo de los gastos de misiones trimestrales de un voluntario para gestionar el seguimiento administrativo y contable del hogar Espoir Deux, creado por Loti Latrous en Costa de Marfil para acoger y tratar a mujeres y niños enfermos de sida.

25. Hacerse cargo financiero del hogar Ciudad de la Alegría en la ciudad de Guatemala, que acoge a jóvenes recuperados de la prostitución y la droga en las calles.

26. Adquisición de un vehículo para facilitar el trabajo del padre Santiago en Guinea Ecuatorial y compra de material para la construcción por los

propios aldeanos de un colegio para que sus hijos puedan beneficiarse de una escuela primaria sin tener que recorrer a pie cinco kilómetros dos veces al día

Y también otros programas de sanidad, educación, formación profesional, desarrollo que permitan a las personas ser autónomas económicamente, haciendo especial hincapié en la alfabetización de las mujeres que viven en pueblos y en la distribución de microcréditos.

Cómo pueden ayudar los lectores a continuar esta acción solidaria en beneficio de hombres, mujeres y niños de entre los más necesitados del mundo

A falta de recursos suficientes, la asociación Action pour les enfants des lépreux de Calcutta, fundada en 1982, no consigue hoy satisfacer todas las necesidades prioritarias que requieren las catorce organizaciones no gubernamentales y aconfesionales que el autor y su esposa sostienen desde hace más de treinta años.

Con el fin de poder continuar financiando los numerosos hogares, escuelas, dispensarios y proyectos de desarrollo (educación y formación de adultos, microcréditos...) animados por hombres y mujeres admirables que consagran sus vidas al servicio de sus hermanos y hermanas más desfavorecidos, son necesarias nuevas aportaciones.

La mejor manera de continuar esta acción sería reunir un capital que permitiese obtener unos intereses de unos dos millones de euros que se necesitan todos los años para financiar diversos proyectos.

¿Cómo reunir este capital si no es con una multiplicación de las ayudas individuales?

Para algunos, hacer una donación de diez mil euros para una causa prioritaria es relativamente fácil. Otros incluso pueden dar más.

Pero para la gran mayoría de los amigos que ya han hecho su contribución después de leer *La Ciudad de la Alegría, Más grandes que el amor, Mil soles, Era medianoche en Bophal, Un dólar cada mil kilómetros, Luna de miel alrededor del mundo, Érase una vez la URSS, Un arco iris en la noche*; de haber visto un reportaje o escuchado una conferencia y que, a menudo, renuevan fielmente su generosa aportación es una suma demasiado importante.

Sin embargo, diez mil euros también son dos veces cinco mil euros, o cuatro veces dos mil quinientos euros, o cinco veces dos mil euros, o diez veces mil euros, o incluso cien veces cien euros...

Una suma semejante puede reunirse a iniciativa de uno, pero con la ayuda de muchos. Fotocopiando este mensaje, hablando con la gente cercana, reuniéndose con los miembros de su familia, parientes, amigos, colegas, estableciendo una cadena de solidaridad y de participación, cada uno puede contribuir a mantener viva esta obra que aporta justicia y amor a los más pobres entre los pobres.

Los donativos más modestos cuentan tanto como los más importantes. ¿Acaso no es una suma de gotas de agua la que forma los océanos?

P. D. La asociación Action pour les enfants des lépreux de Calcutta no tiene gastos de funcionamiento, el autor y su esposa se lo aseguran personalmente. La totalidad de los donativos recibidos se transfiere a los centros beneficiarios.

A continuación encontrarán la información necesaria para enviar los donativos.

Para ayudar a Dominique Lapierre a continuar su acción solidaria destinada a los más pobres, pueden enviar un donativo a la asociación:

ACTION POUR LES ENFANTS DES LÉPREUX DE CALCUTTA
Mediante cheque, diríjanlo a:
C/O Dominique y Dominique Lapierre
Val de Rian, F-83350 Ramatuelle, France

Mediante giro postal, destinándolo a la siguiente cuenta:
CCP 01590 65 C 020

Mediante transferencia bancaria a BNP PARIBAS, París Kléber:
IBAN: FR76 3058 8610 8173 0300 1080 133

Al salvar a un niño, dándole la posibilidad de aprender a leer y a escribir, y de enseñarle un oficio, salvamos el mundo de mañana.

- Según su estado de salud y sus incapacidades, curar, alojar, alimentar, vestir y escolarizar a un niño cuesta entre 35 y 40 € al mes; es decir, entre 415 y 480 € al año.
- Excavar un pozo de agua potable en el delta del Ganges cuesta de 50 a 600 €.
- El tratamiento de diez pacientes enfermos de tuberculosis cuesta 200 €.

¡Todo cuenta! Incluso las donaciones más modestas.
Gracias desde el fondo de nuestro corazón.
Dominique y Dominique Lapierre

Dominique y Dominique Lapierre
Val de Rian, F-83350 Ramatuelle, France
Fax: +33 (0)4 94 97 38 05
E-mail: dominique.et.dominique.lapierre@wanadoo.fr

Para ver en Internet:
- www.citedelajoie.com
- www.cityofjoyaid.org
- www.indiga.org/calcuta/lapierre5.php

Enlaces para ver los videos vía YouTube:
- http://youtu.be/RLpfK8cqWII
- http://youtu.be/ckiLOIbKj5U

Atención: No hay que confundir la asociación de Dominique y Dominique Lapierre con la asociación caritativa española llamada «Fundación Ciudad de la Esperanza y Alegría». Esta situación puede darse debido a la referencia que el nombre de esta asociación hace al título del libro de Dominique Lapierre *La Ciudad de la Alegría*.

Créditos fotográficos

Primer pliego de imágenes

Página 1: Dominique Conchon.
Página 2: fotos 1 y 2, Dominique Conchon.
Página 3: fotos 1, 2 y 3, Broadlands Archives.
Página 4: fotos 1 y 2, Broadlands Archives.
Página 5: fotos 1 y 2, Dominique Conchon.
Página 6: Aliette Lapierre.
Página 7: Dominique Conchon.
Página 8: foto 1, Broadlands Archives; foto 2, Dominique Conchon.
Página 9: Broadlands Archives.
Página 10: Dominique Conchon.
Página 11: Dominique Conchon.
Página 12: Dominique Conchon.
Página 13: colección privada del autor.
Página 14: fotos 1 y 2, colección privada del autor.
Página 15: foto 1, colección privada del autor; foto 2, Dominique Conchon.
Página 16: colección privada del autor.

Página 17: fotos 1 y 2, colección privada del autor.
Página 18: fotos 1 y 2, Dominique Conchon.
Página 19: fotos 1 y 2, Dominique Conchon.
Página 20: Dominique Conchon.
Página 21: fotos 1 y 2, Dominique Conchon.
Página 22: Dominique Conchon.
Página 23: Dominique Conchon.
Página 24: Dominique Conchon.

Segundo pliego de imágenes

Página 1: Dominique Conchon.
Página 2: fotos 1 y 2, colección privada del autor.
Página 3: fotos 1 y 2, Dominique Conchon.
Página 4: fotos 1 y 2, Dominique Conchon.
Página 5: Dominique Conchon.
Página 6: colección privada del autor.
Página 7: fotos 1 y 3, colección privada del autor; foto 2, Roberto Dotti.
Página 8: foto 1, colección privada del autor; foto 2, Roberto Dotti.
Página 9: foto 1, colección privada del autor; fotos 2 y 3, Dominique Conchon.
Página 10: fotos 1, 2 y 3, Dominique Conchon.
Página 11: fotos 1 y 2, Roberto Dotti.
Página 12: Dominique Conchon.
Página 13: fotos 1 y 2, Dominique Conchon.
Página 14: fotos 1 y 2, Dominique Conchon.
Página 15: foto 1, Roberto Dotti; foto 2, Dominique Conchon.

Página 16: Dominique Conchon.
Página 17: fotos 1 y 3, Roberto Dotti; foto 2, Dominique Conchon.
Página 18: Dominique Conchon.
Página 19: fotos 1 y 2, Roberto Dotti.
Página 20: foto 1, Roberto Dotti; foto 2, Dominique Conchon.
Página 21: Roberto Dotti.
Página 22: colección privada del autor.
Página 23: foto 1, colección privada del autor; foto 2, Dominique Conchon.
Página 24: fotos 1 y 3, colección privada del autor.

Índice